Wil
Y POENWR
PENIGAMP

YN ACHUB Y BYD

Argraffwyd gyntaf ym Mhrydain yn 2015 gan
Quercus Publishing Ltd
Carmelite House
50 Victoria Embankment
London EC4Y 0DZ
Cwmni Hachette UK

Argraffwyd gyntaf yn Gymraeg yn 2018 gan
Wasg Gomer, Llandysul, Ceredigion SA44 4JL
www.gomer.co.uk

Dymuna'r cyhoeddwyr gydnabod cymorth ariannol
Cyngor Llyfrau Cymru.

ISBN 978 1 78562 251 9

Argraffwyd a rhwymwyd yng Nghymru gan
Wasg Gomer, Llandysul, Ceredigion.

Wil Y POENWR PENIGAMP

YN ACHUB Y BYD

Georgia Pritchett

Addasiad

Steffan Alun

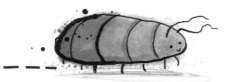

PENNOD 1
Y DECHRAU

Hei, ti! Ie, ti. Tyrd yma am funud.

Tyrd yn nes.

Tyrd yn NES.

Tyrd yn NES...

Dimmor AGOS Â HYNNY!

Iawn. Gwranda. Mae gen i rywbeth i'w ddweud wrthot ti. Mae'n bwysig dros ben.

Ac mae'n **gyfrinach**.

Cyfrinach rhyngon ni'n dau yn unig. Wyt ti'n addo peidio â dweud wrth neb arall? Da iawn.

Iawn, wel, ti'n gwbod y byd? Ie, hwnnw. *Y byd*. Y peth mawr crwn 'na ti'n sefyll arno. Wel, daeth hwnna bron i ben. Do wir. Wythnos diwethaf. Ac nid mewn ffordd dda.

O, roedd

FFWDAN DDIFRIFOL

a dwi'n gwbod yn union beth ddigwyddodd – a dwi'n hapus i ddweud wrthot *ti*, ond dwi ddim am i neb arall gael gwbod. Iawn? Felly, ti'n 'nabod y bachgen 'na o'r enw WIL? Wyt, mi wyt ti. Wyt mi wwwwwwwwyt ti! Y boi bach bach o'r ysgol. Mae ei wallt yn flêr fel hyn. Ac mae ei glustiau'n fawr fel hyn. Ac mae ei ben yn llawn syniadau, fel pe bai llwyth o wenyn yn pacio i fynd ar wyliau y tu mewn i'w ymennydd.

Cofio nawr? Ie! Fe! Wel, achubodd Wil y byd. Do wir. Onest.

Nawr, dyw WIL ddim fel arwr arferol. I ddechrau, does dim clogyn ganddo. Hefyd, dyw e ddim yn gallu hedfan. Na dringo adeiladau tal. Sy'n beth da, siŵr o fod, gan fod ofn uchder arno. A dweud y gwir, mae ofn cryn dipyn o bethau arno – cynifer o bethau nes ei fod wedi gwneud rhestr er mwyn iddo allu eu cofio. Dyma restr Wil:

RHESTR SWYDDOGOL
O BETHAU SY'N FY NYCHRYN

Anifeiliaid wedi'u stwffio
Trychfilod gyda biliynau o goesau
Trychfilod gyda phethau pigog, rhyfedd yn lle llygaid
Bwystfilod y môr

Menyn cnau yn glynu
i dop fy ngheg
Wigs
Esgidiau sglefrolio
Gwyfynod
Lifftiau
Cŵn yn fy ngwthio drwy'r
ffenest tra 'mod i'n cysgu
Mwstashys cyrliog
Siwmperi gwddw polo
Synau uchel
Llychlynwyr

Rhaid cyfaddef nad wyt ti'n gweld llawer o Lychlynwyr y dyddiau hyn, ond dyw hynny ddim yn stopio Wil rhag poeni y *gallai* o weld Llychlynnwr. Ti'n gweld, mae Wil yn boenwr heb ei ail. Mae'n poeni drwy'r amser. Pe bai poeni'n gamp yn y Gemau Olympaidd, byddai'n poeni a fyddai'n ddigon da i gael ei ddewis i fod yn y tîm. A siŵr o fod y byddai'n well iddo *beidio* â chael ei ddewis i fod yn y tîm, gan fod ganddo alergedd at Lycra. Wedi meddwl, mae gan Wil alergedd at:

Gwenith

Llaeth

Dandryff

Blodau (gwneud iddo wichian wrth anadlu)

Gwartheg (gwneud iddo disian)

Ceffylau (gwneud ei lygaid yn goch)

Tamprwydd (gwneud iddo beswch)

Bwyd Sbeislyd (gwneud iddo igian)

Weithiau, mae'n anodd bod yn Wil. Ond mae 'na bethau mae e'n gallu eu gwneud yn *dda* hefyd, fel:

Chwibanu
Hercian ar un goes
Gwau

Olreit, dim ond tri pheth mae'n gallu eu gwneud yn dda – ond mae'n dda *iawn* yn gwneud y tri pheth yna.

Mae e'n gallu chwibanu chwythu-mas, chwibanu sugno-mewn, a chwibanu i wneud sŵn fel ceiliog rhedyn yn chwarae ffliwt fach.

Mae e'n gallu hercian ar un goes hefyd. Mae hercian yn lwcus. Drwy hercian, gall neidio'n bell neu neidio'n uchel, neu wneud rhyw herc

sgipio cŵl. Ac mae'n dda iawn am wau, sy'n ddefnyddiol i osgoi meddwl am y pethau sy'n ei boeni.

Mae Wil yn byw gyda'i chwaer fach, a'i henw hi yw Dot. Enw a gaiff ei fyrhau i Gwenffrewi Drewi. Wel, nid ei fyrhau, ei hirhau.

Mae gan Dot wyneb crystiog ac mae hi wastad yn sticlyd! Ei phrif ddiddordebau yw bwyta pethau a morthwylio. Yn ei hamser sbâr mae hi'n creu drewdod, oherwydd ei bod hi'n fabi a dyna mae babanod yn ei wneud.

Mae gan Dot hoff degan meddal – mochyn o'r enw Mochyn. Roedd Mochyn yn arfer bod yn binc a blewog, ond bellach mae'n llwyd a sgleiniog ac yn drewi fel hen fop. Dyna sy'n digwydd i bethau pan ry'ch chi'n eu caru'n fawr ond ddim yn eu golchi'n aml.

Ffrind gorau Wil yw ei bry lludw anwes, Stiwart. Maen nhw wedi bod gyda'i gilydd ers yr hen ddyddiau, pan oedd Wil ddim ond yn bump oed. Mae Wil a Stiwart yn ffrindiau pennaf. Maen nhw'n deall ei gilydd i'r dim. Maen nhw'n hoffi'r un pethau. Maen nhw'n gorffen brawddegau ei gilydd. Wel, na, dyw hynny ddim yn wir, gan nad yw Stiwart yn gallu siarad, ond dyw Wil ddim yn dweud rhyw lawer chwaith, felly mewn ffordd, mae nhw'n gorffen tawelwch ei gilydd.

Mae Stiwart yn edmygu Wil. Hoffai gael syniadau fel rhai Wil, a chwibanu fel mae Wil yn ei wneud. Mae e hyd yn oed eisiau *gwau* fel mae Wil yn ei wneud – ond nid yw'n gallu gwneud yr un o'r pethau hyn, gan ei fod mor bitw, a gan fod ei ymennydd mor fach, a gan nad oes ganddo wefusau na bodiau.

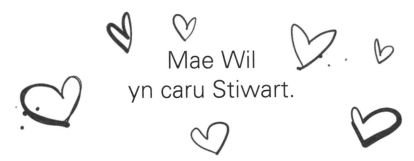

Mae Wil yn caru Stiwart.

Weithiau mae Wil yn torri ei fol eisiau *bod* yn Stiwart, oherwydd wedyn y byddai'n gallu cyrlio'n belen a rholio i rywle arall pan roedd pethau'n anodd. Ond dyw pobl ddim yn cael gwneud hynny. Triodd wneud unwaith mewn parti pen-blwydd, a syllodd pobl arno'n rhyfedd.

Mae Wil hefyd yn byw gyda'i fam, sy'n oedolyn – ond nid ei bai hi yw hynny, ac mae Wil yn ceisio cadw hyn mewn cof. Mae gan Mam swydd sy'n gymhleth iawn ac sy'n golygu gwneud llawer o alwadau ffôn a bod yn neis wrth bobl a dweud llawer o eiriau anghwrtais ar ôl rhoi'r ffôn i lawr.

Ta waeth – ble o'n i? O, ie, diwedd y byd. Do, fe wnaeth hynny bron â digwydd – ac roedd *ychydig bach yn frawychus*, galla i addo hynny i ti.

Beth?

Beth? Ti'n gwrthod fy nghredu? Mae rhaid i mi ddwcud bcth ddigwyddodd? Ond dwi'n brysur!

Wel! Iawn, stopia dy swnian a gwranda'n ofalus. Mi wna i ddechrau o'r dechrau un . . .

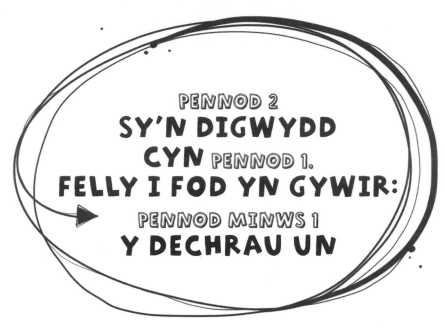

PENNOD 2
SY'N DIGWYDD
CYN PENNOD 1.
FELLY I FOD YN GYWIR:
PENNOD MINWS 1
Y DECHRAU UN

Un tro, roedd deinosoriaid mawr, tal, enfawr yn crwydro'r ddaear.

Yna, un diwrnod, dywedodd un ohonyn nhw, 'Beth am chwarae gêm o guddio!'

Felly cuddiodd y deinosoriaid i gyd, ond anghofion nhw ddewis un deinosor i chwilio amdanyn nhw, felly dydyn nhw ddim wir wedi marw – maen nhw'n dal i guddio. Mae'n wir! Gofynna i *unrhyw un* os nad wyt ti'n fy nghredu.

Felly ar ôl hynny, ddigwyddodd dim llawer am gabiliwn o flynyddoedd, ac wedyn aeth hi'n oer braidd, ac wedyn . . .

Un funud, dwi wedi dechrau'r stori ychydig yn *rhy* bell yn ôl. Beth am gamu 'mlaen ychydig.

Un tro, dywedodd creadur arallfydol . . . (neu 'êliyn' fel ry'n ni'n eu galw nhw yn yr ysgol), 'Glîp. Pidlidŵ pidlidŵ plip plim slanc.'

O na! Dwi 'di mynd yn rhy bell ymlaen y tro hwn!

Iawn. Beth am i ni ddechrau pan symudodd rhywun i'r tŷ drws nesaf i Wil. Cyrhaeddodd lorri fawr tu fas, a rhuthrodd Wil i'r llofft i gael pip drwy'r ffenest ar y landing. Ceisiodd ddyfalu ai bachgen gyda llwyth o deganau gwych fyddai yno. Neu falle merch gyda llwyth o deganau gwych. Neu hyd yn oed hen fenyw garedig oedd yn hoffi treulio ei hamser yn rhoi losin i'r bachgen bach drws nesaf.

Ond pan welodd Wil ei gymydog newydd cafodd siom fawr. Nid merch na bachgen na hen fenyw garedig oedd ei gymydog. Dyn bach oedd e. Roedd llawer o stwff gan y dyn-bach-drws-nesaf. Roedd y dyn-bach-drws-nesaf yn gyfoethog, ac roedd ganddo bopeth y dymunai dyn-bach-drws-nesaf ei gael. Ac roedd enw gan y dyn-bach-drws-nesaf hefyd ac mi wna i ddechrau ei ddefnyddio er mwyn i mi allu stopio ysgrifennu dyn-bach-drws-nesaf.

Enw'r dyn-bach-drws-nesaf . . . *Drat!* Mi wnes i'r un peth eto! Pam na stopiaist ti fi?

Enw'r d-b-d-n oedd **Alun**.

Doedd dim teganau na losin gan Alun. Roedd ganddo bethau oedolyn fel biliau a pheiriant torri gwair a mwstásh. Roedd ganddo wraig dal iawn hefyd gyda **gwallt sbroingiog**. Roedd Pam yn treulio llawer o amser yn cadw ei gwallt yn **sbroingiog** ac yn newid lliw'r **sbroingiau** – coch, gwyrdd, porffor, glas, pinc. Weithiau, byddai'n dad-sbroingio'i gwallt am newid, a fyddai neb yn sylwi, a byddai hynny'n ei gwylltio.

Tra bod Wil yn syllu ar Alun, daeth mam Wil i edrych drwy'r ffenest hefyd.

'Wel wir. Dyna lot o stwff sydd ganddyn nhw. Gobeithio na fyddan nhw'n defnyddio'n bin ni,' meddai, gan wgu.

Yna dywedodd Mam wrth Wil i fynd drws nesaf a gofyn i Alun a hoffai ddod draw am de. Roedd hi'n gobeithio codi mater y bin.

Ond doedd Wil ddim am fynd yno. Nid oedd yn hoffi siarad â phobl newydd. Ac roedd ei siorts lwcus yn y golch. A phe bai Alun yn dod i de, falle y byddai'n defnyddio cwpan arbennig Wil oedd yn dweud 'Wil' arno. Ac yna fyddai Wil ddim am ei ddefnyddio eto.

Yn bwysicach na dim, tra bo Wil yn syllu drwy'r ffenest, sylwodd ar Alun yn rhoi hwyaden wedi'i stwffio yn y cyntedd. Roedd anifeiliaid wedi'u stwffio ar ei

RESTR SWYDDOGOL O BETHAU SY'N FY NYCHRYN. Roedd bob amser yn poeni y byddai anifail wedi'i stwffio yn ei dagu.

Ceisiodd Wil esbonio hyn i'w fam, ond dywedodd wrth Wil am beidio bod yn *wirion* ac i fynd yno ar unwaith.

Aeth Wil i'w stafell wely ac agor ei focs sgidiau o bethau preifat, gwerthfawr. Tu mewn, roedd taflen o'r llyfrgell o'r enw '**SUT I STOPIO POENI**'. Roedd deg awgrym ynddi am bethau allai helpu.

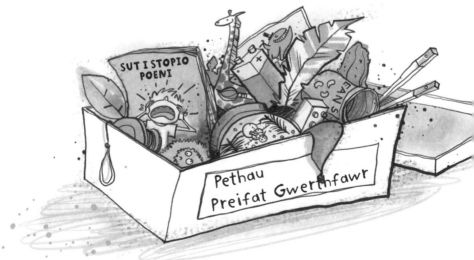

Edrychodd Wil ar # RIF UN.

1) Tynnwch lun o'r peth sy'n eich poeni.

Tynnodd Wil lun o hwyaden wedi'i stwffio.

RHIF DAU:

2) Meddyliwch am y sefyllfa waethaf bosib.

Meddyliodd Wil. Beth allai fod yn waeth na chael dy dagu gan hwyaden wedi'i stwffio? Dim llawer. Ond falle cael dy dagu gan hwyaden wedi'i stwffio oedd yn cydio mewn brechdan menyn cnau. Roedd Wil ag ofn menyn cnau yn glynu i dop ei geg. A byddai'n waeth byth pe bai'r hwyaden wedi'i stwffio'n gwisgo siwmper gwddw polo. Roedd siwmperi gwddw polo'n gwneud i Wil deimlo'n *brahaaaaahhhwwwwweeeyyyrrcccchhhhh*.

Tynnodd Wil lun o'i **SEFYLLFA WAETHAF BOSIB**.

Roedd hyd yn oed edrych ar y llun yn gwneud i Wil deimlo'n simsan, felly chwibanodd mewn ffordd hamddenol er mwyn iddo deimlo'n well. A darllenodd ymlaen.

RHIF TRI:

*3) Meddyliwch am gynllun pe bai'r sefyllfa
waethaf bosib yn digwydd.*

Meddyliodd Wil.

Pe bai hwyaden wedi'i stwffio mewn
siwmper gwddw polo yn cario brechdan
menyn cnau yn ceisio'i dagu, byddai Wil yn
gwisgo ei dair sgarff (roedd wedi'u gwau nhw
ei hun) i amddiffyn ei wddw rhag yr hwyaden.
Yna gallai roi'r frechdan menyn cnau mewn
bocs plastig, cyn dal yr hwyaden mewn rhwyd
fawr. Tynnodd Wil lun o hyn.

Yna paciodd ei fag cefn gyda'r bocs plastig a'r rhwyd a lapiodd ei dair sgarff o amgylch ei wddw. Edrychodd ar ei daflen eto.

RHIF PEDWAR:

4) *Meddyliwch am ffeithiau neu bethau rhesymegol call am y sefyllfa.*

Meddyliodd Wil, ac yna ysgrifennodd:

* Caiff dau ddeg dau o bobl eu hanafu bob blwyddyn mewn digwyddiadau'n ymwneud â phyjamas
* Caiff hanner miliwn o bobl eu hanafu wrth iddyn nhw gysgu yn y gwely
* Rhaid i dair miliwn o bobl fynd i'r ysbyty bob blwyddyn ar ôl damweiniau yn y cartref

> * Hyd yn hyn, does neb wedi sôn am
> hwyaden wedi'i stwffio yn tagu
> unrhyw un

Felly, mewn gwirionedd, byddai Wil yn fwy diogel yn mynd i dŷ Alun nag yn aros gartref.

Cymerodd Wil anadl ddofn, ac yna cusanodd Stiwart a'i roi yn ei boced. Byddai'n iawn. Byddai *e'n* iawn. Nid oedd yn gwisgo'i siorts lwcus ond roedd yn gwisgo siorts glas, a glas oedd ei hoff liw ond dau. Ac roedd hi'n ddydd Mawrth ac mae dyddiau Mawrth yn rhyw fath o liw glas. A phe bai'n mynd â Dot byddai'n iawn gan nad oedd hi'n poeni am siarad â phobl newydd na siorts lwcus na chwpanau arbennig.

A *dyma* lle dechreuodd yr holl fusnes achub y byd . . .

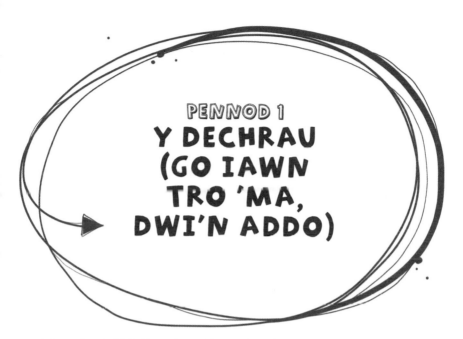

PENNOD 1
Y DECHRAU
(GO IAWN
TRO 'MA,
DWI'N ADDO)

Herciodd Wil ar hyd llwybr Alun gan chwibanu un o'i alawon arbennig (am lwc).

Canodd y gloch. Ac yna canodd Dot y gloch dair gwaith ar ddeg ar ben hynny gan ei bod hi'n hoffi pwyso botymau.

Agorodd y drws yn sydyn. Safodd Alun yno gyda'i ddwylo ar ei gluniau, gan wgu gwg hynod wgllyd.

'Ie ie ie ie ie ie ie ie ie ie ie ie ie,' meddai dair

gwaith ar ddeg. 'Clywais i chi'r tro cyntaf,' meddai unwaith.

'Sori,' meddai Wil, 'fy chwaer wnaeth hynny. Mae hi'n mwynhau pwyso botymau.'

Roedd bysedd bach gludiog Dot eisoes yn nesáu at fotwm y gloch eto.

'Ych! Babi! Gas gen i fabis!' meddai Alun, ag arswyd ar ei wyneb. Gwenodd Dot yn ôl ar Alun gyda'i hwyneb budr, crystiog.

'Mae hi'n gwbl ddiniwed,' meddai Wil.

'Ych! Plentyn! Dwi ddim yn hoffi plant chwaith!' meddai Alun. 'Gyda'u traed bach herciog annymunol a'u lleisiau bach siriol twp a'u gwallt bach clymog annifyr a'u cyrff bach gwan gwirion,' pregethodd Alun, gan gamu 'nôl a mlaen mewn rhywbeth a allai edrych, i lawer, fel corff bach gwan, gwirion.

'Ddrwg gen i am hynny,' meddai Wil yn gwrtais.

'A beth yw'r arogl 'na?' gofynnodd Alun, gan dynnu ystum.

'Ai clwt Dot yw e?' gofynnodd Wil.

'Na. Hapusrwydd yw e,' meddai Alun. 'Beth y'ch chi eisiau?'

'Mam oedd yn meddwl tybed a hoffech chi ddod draw i de?'

'Dwi'n brysur iawn yn bod yn ddrwg a chas. Gadewch i mi fy nghyflwyno fy hun. Alun ydw i,' meddai Alun, 'a dwi'n ddyn gwallgo, dieflig.'

'O, dwi'n siŵr nad yw hynny'n wir,' meddai Wil yn gwrtais. 'Dwi'n siŵr eich bod chi'n berson hyfryd dros ben pan ddaw rhywun i'ch nabod chi.'

'Na, dwi ddim,' mynnodd Alun. 'Dwi'n ddieflig. Nid ychydig bach yn ddieflig yn ddamweiniol weithiau, ond yn hollol ddieflig drwy'r amser yn fwriadol.'

'Ry'ch chi'n rhy galed arnoch chi eich

hunan,' meddai Wil, yn llawn cydymdeimlad. 'Ry'ch chi'n ymddangos yn neis iawn i fi.'

'Dwi *ddim* yn neis,' meddai Alun. 'Fi yw'r dyn gwaethaf, gwaethaf, gwigli gwogli gwaethaf yn y byd i gyd yn grwn, a chyn bo hir bydd pawb yn gwbod fy enw i, a bydda i'n fyd-enwog am fod yn ddrwg, a byddaf yn rhan o hanes!'

'O,' meddai Wil. 'Allech chi ddim bod yn fyd-enwog am wneud rhywbeth gwahanol? Fel dyfeisio rhyw fath o hwfer arbennig o dda neu rywbeth? Neu gallech chi gystadlu mewn sioe dalent – mae llawer o bobl yn gwneud hynny y dyddiau hyn. Beth yw eich hoff gân . . .?'

'Iawn,' meddai Alun, 'os na wnei di fy nghredu i, bydd rhaid i mi ddangos i ti pa mor ddrwg ydw i.'

Cododd Alun Dot, gan ei dal hyd braich.

'Mae'r creadur bach gludiog yma'r maint

perffaith i'w danio o fy lansiwr rocedi,' meddai
Alun. 'Bydd yn hwyl aruthrol, ond ddim iddi
hi, gan y bydd hi'n cael ei sblatio, ac yn fy
mhrofiad i mae'r profiad yn llawer mwy o
hwyl i'r un sy'n *gwneud* y sblatio nag i'r un
sy'n *cael* ei sblatio.'

A chyda hynny, aeth Alun â Dot i'r tŷ, a
chau'r drws yn glep yn wyneb Wil.

Roedd Wil wedi'i syfrdanu'n llwyr. Teimlai'n
sigledig iawn ac roedd ei glustiau'n dwym

i gyd. Teimlai'n sâl – ond dim ond yn ei wddw – ac roedd ei bengliniau'n teimlo fel eu bod ar fin plygu'r ffordd anghywir. Beth oedd e'n mynd i'w wneud? Roedd Dot yn chwaer iddo, ac er y gallai fod yn boen weithiau, doedd e ddim am iddi gael ei thanio'n sblat o lansiwr rocedi.

Roedd Wil eisiau rhedeg ac roedd e eisiau cuddio ac roedd e eisiau crio ac roedd e eisiau gwau rhywbeth cymhleth iawn a fyddai'n cymryd amser maith ac na fyddai'n barod nes bod popeth wedi'i ddatrys – siwmper i'w degan octopws, falle.

Ond wnaeth e ddim un o'r pethau hyn. Yn hytrach, penderfynodd y byddai'n well

POENI O DDIFRI

ac yna meddwl o ddifri, ac yna meddyliodd mor galed nes bod rhaid i'w ymennydd orwedd a gorffwys am ychydig.

Ac yna cafodd Wil syniad. Tynnodd y bocs plastig o'i fag cefn a safodd arno, ac roedd hynny'n frawychus iawn gan ei fod yn plygu'n hawdd ac yn drewi o hen wyau. Safodd ar flaenau ei draed ar y bocs, ac ymestyn ac ymestyn nes iddo *jyst* llwyddo i gyrraedd silff y ffenest wrth y drws.

Dringodd i'r silff ffenest, sy'n anodd pan mae dy bengliniau yn mynnu plygu'r ffordd anghywir. Yna dadlapiodd bob sgarff o'i wddw, er ei bod hi'n ddiwrnod gwyntog, a chlymodd nhw at ei gilydd i wneud un sgarff hir.

Clymodd un pen y sgarff hir i'r beipen law uwchben y ffenest, a'r pen arall i'w ffêr. Roedd rhaid iddo grychu ei hosan i'r gwaelod, a does neb yn hoffi hosan grychog, ond doedd gan Wil ddim amser i feddwl am y crych yn ei hosan.

Gwasgodd ei gorff drwy dop y ffenest, oedd

yn hynod o dynn. Cafodd ei glustiau mawr eu gwasgu'n fflat yn erbyn ei ben, a phoenodd y byddai eu crychau'n cael eu smwddio, ond eto – doedd dim amser gan Wil i feddwl am ei glustiau na'i grychau.

Gan gydio yn y rhwyd hwyaden, disgynnodd Wil, mewn ffordd simsan sigledig, drwy'r bwlch yn y ffenest ac i mewn i dŷ Alun.

Yn y cyfamser, roedd Alun yn brwydro gyda bocs mawr wedi'i labelu â'r geiriau 'Lansiwr Rocedi – Peidiwch â Throi'r Bocs Ben i Waered'. Roedd y bocs ben i waered. Roedd Dot yn ei wylio'n ofalus. Tynnodd Dot ei hosan, sychodd ei thrwyn, a thaflu'r hosan dros ei hysgwydd.

Yn dawel, ysgydwodd Wil y rhwyd tuag at Dot. Roedd hyn fel ceisio dal pysgodyn. Pysgodyn trwm sticlyd llawn smwt trwyn gwyrdd gyda chewyn llawn. Gwyliodd Dot,

yn llawn diddordeb, wrth i Wil
siglo i bob cyfeiriad gerfydd
ei ffêr, gan chwifio'r rhwyd
yn ffyrnig. O'r diwedd,
gwelodd Dot friwsionyn
diddorol yr olwg yng
ngwaelod y rhwyd,
a chropiodd i
mewn iddi.

Iypidwdldi! meddyliodd Wil. Tynnodd ei wobr ddrewllyd i fyny, dringodd y sgarff hir yn ôl i'r top, a gwasgodd yn ôl drwy'r ffenest.

Glaniodd ar garreg y drws, ac ar ôl ailgrychu ei glustiau, rhedodd yr holl ffordd adref gyda Dot dan ei fraich.

Dywedodd Wil wrth ei fam na fyddai Alun yn ymuno â nhw i gael te. Soniodd e ddim am y ffwdan gyda Dot na'r lansiwr rocedi nac unrhyw beth am y ffaith bod Alun yn ddyn gwallgo dieflig, gan fod yr holl beth yn peri iddo deimlo'n simsan ac yn barod i lewygu. Felly penderfynodd fod y cyfan ar ben.

Ond oedd e'n iawn?

Oedd.

O, wir?

Oedd, yn bendant.

Ti'n siŵr fod y cyfan ar ben?

Heb os.

Wyt ti wir? Wyt ti wir? Wyt ti wir?

Wel . . . *iawn*. Falle fod y cyfan ar ben, ar wahân i'r peth diwedd-y-byd. Cyn belled â bod hynny yn y cwestiwn, megis dechrau oedd hi.

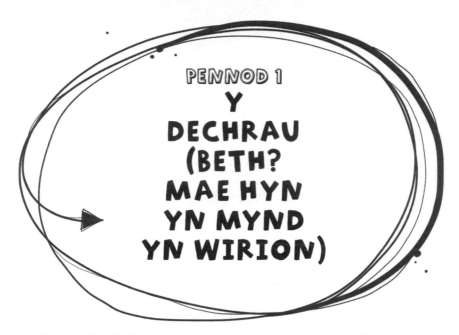

PENNOD 1
Y DECHRAU (BETH? MAE HYN YN MYND YN WIRION)

Roedd Wil yn ei wely yn cuddio, fel mae rhywun. Ac yn ceisio peidio â meddwl pa ddrygioni oedd yn digwydd drws nesaf. Ond mae ceisio peidio â meddwl yn dal i olygu meddwl, felly dechreuodd feddwl sut i stopio meddwl.

Yn y cyfamser, drws nesaf, roedd Alun yn meddwl hefyd. Roedd wedi dechrau dadbacio, ond ni allai benderfynu pa stafell ddylai fod yn bencadlys dieflig iddo. Beth am y stafell gyda golygfa o'r ardd? Neu'r stafell gyda ffenest fawr? Neu'r stafell fechan oedd yn rhy fach i wely? Neu'r stafell gudd o dan y tŷ oedd yn cynnwys lansiwr taflegrau, tanc siarcod, a drysfa o dwneli yn arwain at losgfynydd?

Wedi meddwl, roedd yn benderfyniad hawdd mewn gwirionedd. Y stafell gyda'r ffenest fawr, wrth gwrs! Ond erbyn i Alun gludo **PEIRIANT RHEOLI'R GANOLFAN LANSIO TAFLEGRAU** a'i gadair droellog gyfforddus yno, roedd Pam eisoes wedi dewis y stafell honno fel campfa. Felly roedd rhaid iddo ddefnyddio'r stafell gudd dan ddaear wedi'r cyfan.

Symudodd Alun ei bethau i'w bencadlys dieflig newydd, a dechreuodd feddwl ble i osod ei luniau. Cyn hir, cyrhaeddodd Kevin Phillips. Kevin Phillips oedd cynorthwyydd Alun, a meistr ei gynlluniau dieflig. Mae angen cynorthwyydd ar bob gwallgofddyn dieflig, am fod y gwaith yn flinedig, ac mae'n braf cael help gyda'r gwaith papur.

'Beth wyt ti'n feddwl o fy mhencadlys dieflig?' gofynnodd Alun wrth Kevin.

Roedd Kevin mor dawel â chwpwrdd dillad. Teimlai Alun fod hwn yn arwydd da.

'Ro'n i'n meddwl am gael gafael ar fygis golff i'n cludo ni drwy'r twneli dan ddaear.'

Pesychodd Kevin.

'A 'drycha, ces i'r gadair droellog gyfforddus yma i ti eistedd ynddi wrth sgrin **PEIRIANT RHEOLI'R GANOLFAN LANSIO TAFLEGRAU**.'

Cerddodd Kevin at y gadair droellog gyfforddus, ac eistedd ynddi. Taerodd Alun iddo'i weld yn hanner gwenu.

Un cryf a thawel oedd Kevin Phillips. Roedd mor glyfar â madarchen, ac yn ffyddlon hefyd – ond doedd dim gobaith am sgwrs ganddo.

'Mae gen i lun o fachlud haul wnes i ei dynnu,' meddai Alun. 'Ydi e'n edrych yn dda fan hyn? Neu fan hyn? Neu beth am fan hyn?'

Edrychodd Kevin ar Alun yn ddwys. Yna ochneidiodd.

'Falle wna i ei roi e yn y tŷ bach,' meddai Alun yn ufudd. 'Ti'n iawn, ddylen ni ddim canolbwyntio ar osod lluniau – mae bydoedd i'w dinistrio. Wel, un, beth bynnag. Awn ni ati. *Dyma'r* dechrau. Dechrau'r diwedd!'

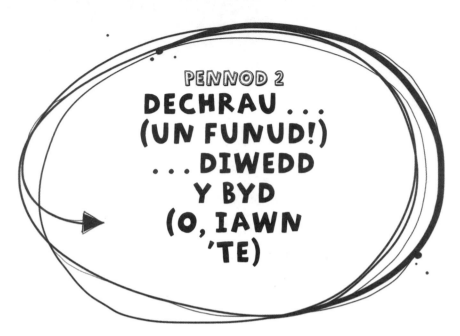

PENNOD 2
DECHRAU . . .
(UN FUNUD!)
. . . DIWEDD
Y BYD
(O, IAWN
'TE)

Roedd dechrau diwedd y byd yn ddiwrnod gydag ysbeidiau heulog ac ambell gawod o'r gorllewin.

Roedd Wil yn yr ardd yn chwarae gyda Dot. Byddai'n taflu pêl iddi, a byddai hithau'n glafoerio drosti am sbel, cyn ei thaflu'n ôl dros ei hysgwydd.

Byddai Wil yn codi'r bêl, ei sychu ar ddeilen, a byddai'r holl gêm yn dechrau eto.

Roedd Stiwart y pry lludw yn torheulo ar gaead Smarties.

Yn y cyfamser, roedd Alun drws nesaf yn ei ardd, yn edrych drwy wahanol focsys.

'Dwi'n methu dod o hyd i'r siarcod mawr gwyn ar gyfer y tanc siarcod!' cwynodd.

Edrychodd Kevin Phillips ar Alun yn ddryslyd.

'Dwi'n siŵr i mi eu rhoi nhw gyda fy mhethau amrywiol!' Ciciodd Alun focs yn ei dymer.

Cnoiodd Kevin Phillips ar ei feiro.

'Wyt ti wedi'u gweld nhw'n rhywle?' gofynnodd Alun yn flin.

Crafodd Kevin Phillips ei ên.

'Mae popeth yn y lle anghywir. Ro'n i'n meddwl 'mod i wedi rhoi clustog y gadair droellog yn y bocs "Clustogau" – ond dwi newydd ddod o hyd iddi mewn bocs yn cynnwys lamp, dwy fforc, a'm rhaff sgipio sy'n llawn clymau!'

Ochneidiodd Kevin Phillips, ac edrych mewn bocs. Tynnodd un esgid ohono a'i gosod ar y llawr. Doedd yr esgid arall ddim yn y bocs. Ciciodd Alun focs arall, a dechreuodd ddatglymu ei raff sgipio.

Yna, sylwodd Alun ar Wil a Dot dros y ffens.

'Beth y'ch chi'n ei wneud yn fan'na?' gofynnodd Alun. 'Wnaeth y gwarchodwyr ddim eich gwthio i'r llawr y foment y gwelon nhw chi?'

'Na, gan ein bod ni yn ein gardd ni'n hunain,' meddai Wil yn rhesymol.

'Am rŵan,' meddai Alun, 'nes fy mod i'n

prynu'r ardd a'i fflatio a'i phalmantu er mwyn
i mi allu parcio fy nhanc hofran yno.'

'Beth yw tanc hofran?' gofynnodd Wil.

'Tanc enfawr sy'n hofran dros y ddaear, fwy
neu lai.'

'Waw!' meddai Wil. 'Mae hwnna'n swnio'n anhygoel!'

'Ydy mae e,' meddai Alun. 'Mae'n defnyddio ochneidiau plant amddifad fel tanwydd. Mae angen mil o ochneidiau arno bob eiliad,' ychwanegodd yn falch.

'Allech chi ddim defnyddio aer?' gofynnodd Wil.

'Na!' meddai Alun. 'Oherwydd, oherwydd . . . oherwydd 'mod i'n brysur yn datglymu fy

rhaff sgipio ar hyn o bryd, a dyna ni, diolch yn fawr iawn.'

Brwydrodd Alun gyda'i raff sgipio, gan ei gwneud yn fwy dryslyd a pheri i'r darn pren caled ar y pen dorri. Ochneidiodd, a rhoi'r darn yn y bin.

'Ein bin *ni* yw hwnna,' meddai llais bach cudd o'r tu mewn i dŷ Wil.

'Ydi o'n iawn i ni chwarae yn ein gardd ein hunain cyn i chi ei fflatio?' gofynnodd Wil yn gwrtais. 'Y peth yw, gwnes i addewid i fy mam y byddwn yn torri'r lawnt.'

Chwarddodd Alun yn llawn trueni. 'Torri'r lawnt? Mae gen i robot i wneud hynny drosta i. Falle y dylwn ofyn iddo wneud hynny heddiw. Mae'n ddiwrnod braf i dorri'r gwair.'

'Beth ddywedoch chi?' gofynnodd Wil.

'Mae'n ddiwrnod braf i dorri'r gwair,' ail-adroddodd Alun.

'Na, na, cyn hynny – y peth am y robot!' mynnodd Wil.

'O, ie. *Hynny*,' meddai Alun, gan ddangos ei hun braidd. 'Dwi wedi adeiladu fy robot fy hun – un sy'n ufuddhau i fy holl orchmynion. Sy'n ffordd grand o ddweud ei fod yn gwneud popeth dwi'n dweud wrtho am wneud.'

'Waw!' meddai Wil, yn llawn edmygedd. 'Mae hynny'n swnio'n wych!'

'Hoffet ti ei weld?' gofynnodd Alun.

Doedd Wil ddim yn siŵr. Roedd Alun yn

ymddangos yn ddieflig, wedi'r cyfan, gyda'r lansiwr roced a phopeth. Ond roedd hefyd yn ymddangos yn unig, a gwyddai Wil sut beth oedd teimlo'n unig. Roedd mam Wil bob amser yn ei annog i geisio bod yn fwy cyfeillgar, felly penderfynodd Wil roi cynnig arni.

'Iawn,' meddai Wil yn ddewr. 'Hoffwn.'

Dilynodd Wil a Dot y dyn drws nesaf i'r sied. Agorodd Alun y drws. Tasgodd olau dros y tywyllwch, gan dorri drwy'r düwch. Roedd arogl llychlyd ar y lle.

'Gadewch i mi gyflwyno'r
'LRCh2FL309FERS IWN8.4 MARC III,'
meddai Alun yn fawreddog.

Syllodd Wil drwy'r cysgodion. Gallai weld

robot mawr anferth, gyda choesau a breichiau a wyneb a phopeth.

'Waw!' meddai Wil eto. 'Beth y'ch chi'n ei alw fe?'

'Dwi'n ei alw e'n LRCh2FL309fersiwn8.4 marcIII,' meddai Alun, gan edrych ar Wil fel pe bai'n dwpsyn.

'Beth am ei alw'n Marc III? Mae'n fyrrach!'

Syllodd Alun ar Wil am amser hir. Yna trodd at y robot, a dywedodd, 'Marc III? Mae rhywun yma i gwrdd â ti.'

Ni symudodd y robot.

'Beth mae'n gallu ei wneud?' gofynnodd Wil.

'Unrhyw beth dwi'n dymuno,' meddai Alun yn falch.

'Waw! Gwnewch iddo wneud rhywbeth!' meddai Wil yn gyffrous.

'Iawn,' meddai Alun.

Edrychodd Wil ar Alun yn obeithiol.

Cliriodd Alun ei wddw.

'Marc III?' galwodd.

Ni symudodd y robot.

'Marc III?' meddai Alun yn uwch.

Dim byd.

'Marc III!!!!' gwaeddodd Alun.

Dechreuodd y robot symud.

'Hmm? Be . . .? Shwmae!' meddai'r robot yn gysglyd.

'Hoffwn i ti glirio fan hyn, plis,' meddai Alun.

'CER O 'MA. Dwi'n cysgu,' meddai'r robot mewn llais rhyfedd, cwynfanllyd gan godi a gostwng traw ei lais, o fod yn uchel ac yna'n isel am yn ail, o un gair i'r llall.

'Marc III . . .' meddai Alun, gyda rhyw dinc o rybudd yn ei lais.

'Taclusais i'r lle dri mis yn ôl. Gad fi *fod*. Ti *wastad* yn pigo arna i,' meddai'r robot.

'Mae e fel arfer yn gwneud beth dwi'n ddweud wrtho,' meddai Alun, gan gochi. 'Rhaid 'mod i wedi'i raglennu'n anghywir. Rhaid i mi newid ambell beth . . .'

'Dwi'n siŵr y bydd e'n anhygoel pan *fydd* e'n gwneud beth bynnag ry'ch chi'n gofyn iddo wneud,' meddai Wil yn garedig.

'Bydd, mi fydd,' meddai Alun yn hiraethus.

Gadawodd Wil, Dot ac Alun y sied ar flaenau eu traed. Roedd Kevin Phillips yn aros yn yr ardd, yn gafael mewn papur newydd. Nid oedd yn edrych yn falch o'u gweld.

'Dwi wedi bod yn chwilio amdanat ti ym mhobman,' meddai Alun. 'Ble wyt ti 'di bod?'

Sniffiodd Kevin, a syllu'n oeraidd ar Wil a Dot.

'Anghofia amdanyn nhw, mae 'da ni bethau i'w gwneud. Dere 'mlaen.'

Anwybyddodd Kevin Phillips orchymyn Alun, ac aeth i'r gegin ar unwaith.

'Iawn, wel, pan fyddi wedi bwyta rhywbeth, dere i'r pencadlys dieflig,' meddai Alun.

Twt-twtiodd wrth ei hun. 'Mae'n fy ngorfodi i i wneud yr holl waith ar y

CYNLLUN DIEFLIG CYFRINACHOL

ac mae e i *fod* yn gynorthwyydd i mi. Sy'n golygu y *dylai* e fy helpu.'

'Pa **gynllun dieflig cyfrinchol**?' gofynnodd Wil.

'Wnes i sôn taw **fi yw'r dyn gwaethaf, gwaethaf, gwigli gwogli gwaethaf yn y byd i gyd yn grwn**?'

'Do, sonioch chi am hynny,' meddai Wil. 'Ond sonioch chi ddim am **gynllun dieflig cyfrinachol**.'

'Mae hynny am ei fod

yn **gyfrinach**,' meddai Alun.

Roedd Alun yn un da am gadw cyfrinachau. Pan dwi'n dweud da, dwi'n golygu gwael. A phan dwi'n dweud cyfrinachau, dwi'n golygu moch cwta. Roedd Alun yn wael am gadw moch cwta. Roedden nhw bob amser yn marw neu'n dianc.

Wedi meddwl am y peth, doedd e ddim yn dda iawn am gadw cyfrinachau chwaith. Felly mewn dim o dro (tua phedwar deg wyth eiliad), roedd wedi rhannu holl fanylion y

CYNLLUN DIEFLIG CYFRINACHOL.

'Mae gen i,' meddai Alun. 'Mae gen i, Alun,' ailadroddodd i greu effaith. 'Mae gen i, Alun, gynllun dieflig cyfrinachol nad oes neb yn gwbod amdano, a'r cynllun dieflig cyfrinachol yw **dinistrio'r byd yn llwyr** nes ei fod wedi'i ddinistrio. Oherwydd,' meddai Alun, 'fel **y soniais falle, fi yw'r dyn gwaethaf, gwaethaf, gwigli gwogli gwaethaf yn y byd-i-wyd i gyd yn grwn.'**

Yn lwcus i Alun, ni chlywodd Kevin Phillips Alun yn rhannu ei **gynllun dieflig cyfrinachol**. Pe bai wedi gwneud, byddai wedi bod yn **grac dros ben**.

Ar ôl clywed **cynllun dieflig** Alun, roedd Wil yn gegrwth.

Y BYD?
WEDI'I DDINISTRIO?
AM BYTH?

Doedd hynny ddim yn beth da. Gwyddai Wil fod rhaid iddo ei stopio. A gwyddai Wil mai fe fyddai'n gorfod gwneud y stopio. Roedd hi'n amser iddo fod yn arwr.

Neu, wedi meddwl am y peth, roedd hi'n amser iddo guddio dan y cwilt a chwibanu ac ymddwyn fel pe bai dim o hyn wedi digwydd? Rywsut, roedd y syniad hwnnw'n fwy deniadol.

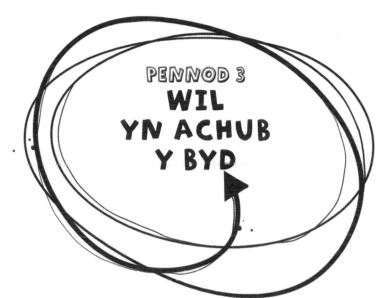

PENNOD 3
WIL YN ACHUB Y BYD

Cuddiodd Wil a chwibanodd, chwibanodd a chuddiodd. Gwnaeth ychydig o wau. Yna chwibanodd a chuddiodd unwaith eto. Aeth â Stiwart y pry lludw am dro. Ac wrth iddo wylio Stiwart yn trotian o gwmpas y lle heb boeni am ddim, y gwair yn cosi ei goesau, yr haul ar ei gefn, yn chwarae pêl-droed gydag un Coco Pop a gafodd yn anrheg amser brecwast – sylweddolodd Wil rywbeth.

Ni allai guddio yn ei wely a chwibanu ac ymddwyn fel nad oedd dim o'i le. *Roedd* rhywbeth o'i le. Ac er mwyn Stiwart a Dot a llawer o bobl a phryfed lludw ym mhobman, roedd rhaid iddo

WNEUD

rhywbeth. Roedd rhaid iddo achub y sefyllfa. A'r byd. Ar yr un pryd. Roedd rhaid iddo fynd i bencadlys dieflig Alun a darganfod *sut* oedd yn mynd i ddinistrio'r byd, a gyda *beth*.

Dim ond un broblem oedd ar ôl. Yr unig ffordd i bencadlys Alun oedd mewn lifft. Ac roedd ofn llifftiau ar Wil. Yn benodol, roedd ar Wil ofn bod yn sownd mewn lifft a thagu.

Tynnodd Wil lun o hyn.

Yna meddyliodd beth allai fod yn waeth na bod yn sownd mewn lifft.

Yr unig beth allai fod yn waeth oedd pe bai gwyfyn enfawr yn y lifft hefyd. Roedd ofn gwyfynod ar Wil yn ddifrifol.

Felly ROEDD Wil YN POENI'N ARW. Yna meddyliodd yn ddwys. Meddyliodd a meddyliodd. Meddyliodd mor galed nes bod rhaid i'w ymennydd orffwys a gorwedd am ychydig. Ac yna cafodd syniad.

Pe bai ganddo dortsh, byddai hwnnw'n denu'r gwyfyn, fel na fyddai'r gwyfyn yn dod at Wil. Yna, pe bai'n defnyddio chwistrell wallt ar y gwyfyn, byddai ei adenydd yn mynd yn stiff, a byddai'n methu â chyhwfan mewn ffordd arswydus o amgylch y lifft. A phe bai Wil yn mynd â bag o aer gydag ef, falle na fyddai'n tagu yn y lifft.

Tynnodd Wil lun o hyn.

Paciodd ei fag cefn gyda thortsh a chwistrell wallt a bag bach o aer. Yna edrychodd ar y daflen **'SUT I STOPIO POENI'** eto.

RHIF PUMP

5) *Weithiau mae'n help i dynnu eich sylw drwy feddwl am rywbeth cwbl wahanol.*

Roedd hynny'n syniad da. Penderfynodd Wil feddwl am eiriau oedd yn dechrau gyda 't'.

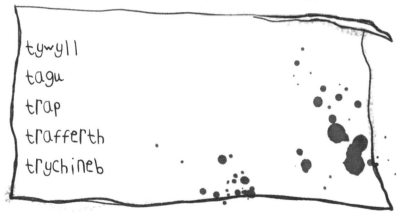

tywyll
tagu
trap
trafferth
trychineb

Na, na, na. Doedd hynny ddim yn helpu!

Penderfynodd feddwl am eiriau oedd yn dechrau gydag 'a'.

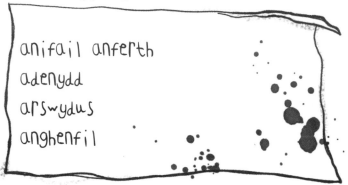

anifail anferth
adenydd
arswydus
anghenfil

Na, na, na! Roedd hynny'n gwneud pethau'n waeth!

Penderfynodd Wil y byddai'n well iddo stopio meddwl ar unwaith. Cododd Dot i'w ysgwyddau. Cydiodd hithau yn ei drwyn gydag un llaw sticlyd, ac er mwyn osgoi disgyn, cydiodd ym mhelen ei lygad chwith â'r llaw gludiog arall.

Roedd braidd yn anodd anadlu a braidd yn anodd gweld, ond llwyddodd Wil a Dot i gyrraedd tŷ Alun. Cnocion nhw ar y drws, ac yna cuddio tu ôl i glawdd. Tra bod Alun yn ceisio gweld pwy oedd wedi cnocio ar y drws, aethon nhw i mewn i'r tŷ ar flaenau eu traed.

Anadlodd Wil yn ddwfn, a gwasgu botwm y lifft.

Agorodd drysau'r lifft.

Y newyddion da: *dim gwyfyn enfawr.*

Y newyddion drwg: *gwarchodwr mawr blin.*

Meddyliodd Wil am funud a oedd ganddo amser i fynd i'r tŷ bach cyn wynebu'r gwarchodwr – ond penderfynodd yn erbyn y peth. Defnyddiodd y chwistrell wallt yn llygaid y gwarchodwr. Sgrechiodd y dyn mawr, a chwympo o'r lifft. Camodd Wil a Dot i mewn, a gwasgu'r botwm

PENCADLYS DIEFLIG.

Caeodd drysau'r lifft. Cymerodd Wil ychydig o aer o'i fag o aer ychwanegol.

Dechreuodd y lifft symud i lawr.

I LAWR

I LAWR

I LAWR

I LAWR
I LAWR
I LAWR
I LAWR
I LAWR
I LAWR
I LAWR
I LAWR
I LAWR
I LAWR
I LAWR
I LAWR
I LAWR
I LAWR
I LAWR
I LAWR
I LAWR
I LAWR
STOP

Agorodd y drysau eto.

Roedd Wil wedi llwyddo! Roedd wedi bod mewn lifft heb fynd yn sownd! Dawnsiodd yn herclyd mewn llawenydd. Yna, gosododd y tortsh rhwng y drysau fel na fydden nhw'n cau, er mwyn i'r lifft aros yno fel bod modd iddyn nhw allu dianc yn gyflym.

Aeth Wil a Dot i gornel y pencadlys dieflig ar

flaenau eu traed, ac aethon nhw i lawr ar eu
cwrcwd, mor dawel â chlustogau.

Wrth edrych o'i gwmpas, roedd Wil yn
gegrwth. Roedd sgriniau a botymau a mwy o
fotymau a llawer mwy o sgriniau a thwneli a
bygis golff a llun braf o fachlud haul.

Roedd y cyfan yn swishi-sw-ŵ.

'Waw!' sibrydodd Wil.

'Wyt ti'n ei hoffi?' gofynnodd Alun, a oedd yn sefyll y tu ôl iddo.

Neidiodd Wil o'i groen. 'S-s-sut oeddech chi'n g-g-gwbod 'mod i yma?' gofynnodd gan grynu.

'Y drewdod,' meddai Alun.

'O. Hapusrwydd?' gofynnodd Wil.

'Nage. Cewyn dy chwaer, dwi'n credu.'

Roedd Dot yn cropian yn gyflym ar hyd y llawr, gan adael llwybr o greision a chwrens y tu ôl iddi.

'O,' meddai Wil. 'Ie, falle.' Roedd Dot wedi sylwi ar flanced enfawr, ac roedd yn cropian tuag ati.

'Mae hi mewn pryd i ddadorchuddio fy arf newydd. Wele!' meddai Alun yn ddramatig, wrth i Dot dynnu cornel y flanced enfawr, a datguddio peth siâp gwn metel sgleiniog mawr mawr anferth.

Syllodd Wil mewn rhyfeddod.

'Dwi'n mynd i'w alw yn

PEIRIANT IASOL

i ddifa

POBL ISRADDOL —

– neu **PI-PI** yn fyr,' meddai Alun.

Methodd Wil beidio â chwerthin.

'Beth?' meddai Alun. 'O, drat. Hmmm. Iawn, enw newydd –

PEIRIANT

ENFAWR

NIWCLEAR

OFNADWY o LOYW

– neu **PEN-ÔL** Alun, yn fyr.'

Gwnaeth Wil ei orau i beidio â chwerthin, ond dechreuodd biffian beth bynnag.

'Beth nawr?' meddai Alun yn grac. 'O, wela i. Iawn, 'te. Gad i mi feddwl . . .'

Camodd Alun mewn cylch. 'Beth am y **PEIRIANT ANHYGOEL NIWCLEAR TERFYSGOL SYFRDANOL.**.

Ie! Dyna ni! Arhosa di tan i mi ddangos gwir erchyllterau **PANTS ALUN!**'

Chwarddodd Wil i mewn i'w lawes.

Ochneidiodd Alun. 'Dwi wedi'i wneud e eto, yn dydw i?' meddai'n drist.

'Ydych,' meddai Wil, 'ond peidiwch â phoeni. Beth am ei alw yn **Gwn Mawr Betingalw**, a byddwn ni'n gwbod beth ry'ch chi'n ei feddwl wedyn.'

'Iawn, diolch,' meddai Alun. 'A nawr, os wnei di fy esgusodi, rhaid i mi ddinistrio'r byd.'

'Sut ydych chi'n mynd i wneud hynny?' gofynnodd Wil yn hamddenol, fel pe na bai'n gwestiwn o bwys.

'Wel, cyn bo hir, bydd holl arweinwyr y byd yn cwrdd yn Llundain i ymarfer ysgwyd dwylo'i gilydd. Tra bydd eu sylw ar hynny, bydda i'n dinistrio'r byd gyda fy **Ngwn Mawr Betingalw**!'

'Sut fyddwch chi'n cyrraedd Llundain?' gofynnodd Wil, gan ei fod yn fachgen ymarferol.

'Dwi'n falch dy fod wedi gofyn,' meddai Alun yn falch. 'Dwi'n adeiladu **peiriant hedfan mecanyddol gwych arbennig hudolus**. Gad i mi ddangos i ti . . .'

Ond cyn i Alun allu dangos ei ddyfais newydd i Wil, torrodd Kevin Phillips ar eu traws drwy ruthro i mewn i'r stafell a llithro ar draws y llawr sgleiniog.

'Paid â phoeni, dwi wedi dal y tresbaswyr,' meddai Alun wrth Kevin Phillips.

Cerddodd Kevin Phillips at Wil a sniffiodd.

'Cewyn y ferch yw e. Paid â phoeni. Bydd y ddau wedi marw'n fuan,' meddai Alun.

Chwyrnodd Kevin Phillips yn fygythiol ar Wil, yna trodd ar ei sawdl ac eistedd yn y gadair droellog gyfforddus wrth sgrin **Peiriant Rheoli'r Ganolfan Lansio Taflegrau**.

Cofiodd Alun fod yn gwrtais yn sydyn.

'Wil, ti 'di cwrdd â Kevin Phillips, on'd wyt ti? Fe yw fy nghynorthwyydd. A meistr fy nghynlluniau dieflig.'

'Ci yw e,' meddai Wil.

Boi oedd yn dweud pethau'n blwmp ac yn blaen oedd Wil.

'Mae'n ddrwg gen i?' meddai Alun.

'Ci yw e,' ailadroddodd Wil, gan bwyntio at Kevin Phillips

Cyfarthodd Kevin Phillips, a throdd gwpwl o weithiau ar ei gadair droellog gyfforddus, ac yna eisteddodd eto. Roedd ei dafod yn hongian o'i geg, ac roedd ei gynffon fawr yn ysgwyd yn hapus. Bob hyn a hyn byddai ei gynffon yn taro lifer ac yn rhyddhau taflegryn.

'Ci mawr gyda chot flewog yw e,' meddai Wil. 'Fel arfer mae ofn cŵn arna i,' aeth yn ei flaen, 'gan fy mod yn credu y byddan nhw'n fy ngwthio drwy'r ffenest wrth i mi gysgu. Ond dyw Kevin ddim yn fy nharo i fel y math hwnnw o gi.'

Aeth clustiau Kevin Phillips yn fflat ar ei ben. Ac yn sydyn, dechreuodd grafu'n wyllt.

'Shhhh!' meddai Alun, yn llawn embaras. 'Dyw e ddim yn gwbod taw ci yw e. Mae'n credu ei fod e'n un ohonon ni.'

'Sori,' meddai Wil.

'Wedi'r cyfan, a yw e'n deg nad oes gan gi'r un hawliau â phobl? Yr hawl i fynd i'r ysgol ac i fynd i'r sinema ac i fowlio ac i gael swydd. A'r hawl i ddinistrio'r byd?'

'Gallai'r bowlio fod yn anodd,' meddai Wil.

'Iawn, anghofia'r bowlio,' meddai Alun. 'Ond y pethau eraill?'

'Wel, sbo . . .' atebodd Wil.

'Ti'n gweld!' meddai Alun.

Cyfarthodd Kevin Phillips yn gyffrous, a neidiodd ar ben sgrin y peiriant rheoli, gan danio hanner dwsin o daflegrau eraill.

'Beth bynnag,' meddai Alun, 'does dim amser i sgwrsio. Rhaid i mi fwrw 'mlaen gyda'r cynllun i dy ladd di a dy chwaer ddrewllyd. Dwnsiwn neu danc siarcod?'

'Y peth yw,' meddai Wil, gan deimlo braidd yn grynedig, 'dydw i ddim yn dda iawn mewn llefydd tywyll. Na llefydd llaith. Mae lleithder yn gwneud i mi beswch.'

'Tanc siarcod amdani, 'te.'

'Y broblem yw,' esboniodd Wil, gan geisio peidio â gadael i'w bengliniau fynd y ffordd anghywir, 'dydw i ddim yn dda iawn gyda dŵr. Na siarcod.'

'Dwnsiwn, amdani 'te,'

PENNOD 4
TUN O DRIOG
(WIR YR!)

Arweiniodd Alun Wil a Dot i lawr grisiau llithrig, serth i ddwnsiwn bach tywyll. Roedd y lle mor oer â gwaelod treinyr tamp. Doedd dim siarcod, ond mae'n siŵr bod pryfed cop yno. A malwod, mwy na thebyg. A llawer o bethau a fyddai'n brwsio yn erbyn dy wyneb ac yn gwneud i ti fynd *ychypychawiiiiiwaaaaaawwwwwwwww*. A llun braf arall o fachlud haul.

Roedd ofn ar Wil. Doedd e wir, wir ddim yn hoffi'r trychfilod hir hynny gyda biliynau o goesau. Neu'r rhai eraill gyda phethau pigog rhyfedd yn lle llygaid. Ac roedd e'n amau y byddai'r dwnsiwn yn llawn coesau wiglog a phethau pigog chwifiog. Doedd Stiwart y pry lludw ddim yn ei boeni gan nad oedd gan Stiwart bethau pigog chwifiog, ac roedd ganddo nifer rhesymol o goesau. Hefyd, roedd e wastad yn garedig a chwrtais.

'Oes trydydd dewis?' gofynnodd Wil wrth Alun, gan lithro tuag at y drws. 'Fel dwnsiwn, tanc siarcod NEU drip i'r sŵ?'

'Nac oes,' atebodd Alun. Camodd o flaen Wil a chroesodd ei freichiau, gan edrych mor ddifrifol ac mor benderfynol â chwpwrdd dillad.

'Iawn. Wel. Arhosa am funud, 'te,' meddai Wil. 'Rhaid i mi wneud un peth.'

Ffeindiodd ei bensil a'i lyfr nodiadau,
a thynnu llun y peth oedd yn ei boeni: trychfil
hiiiiir.

Ochneidiodd Alun a thapio'i droed ar y llawr
yn ddiamynedd.

Ystyriodd Wil y **SEFYLLFA WAETHAF**.
Beth allai fod yn waeth na thrychfil hiiiiir?

Roedd ofn wigs ar Wil. Ac roedd esgidiau
sglefrolio'n ei ddychryn yn ddifrifol. Trychfil
hiiiiir ar esgidiau sglefrolio yn gwisgo wig?

Tynnodd Wil lun o hyn.

Roedd angen cynllun ar Wil i ddianc rhag arswydau'r dwnsiwn.

Meddyliodd. A meddyliodd a meddyliodd.

'Dere 'mlaen, dere 'mlaen,' meddai Alun, gan ysgwyd allweddi'r dwnsiwn.

'Os ydych chi'n mynd i adael i rywun farw, dwi'n credu taw'r arfer yw cynnig pryd o fwyd iddyn nhw cyn eu bod nhw'n mynd o'r byd hwn,' meddai Wil o'r diwedd.

'Dwi 'di bod yn slafo drwy'r dydd yn trio dinistrio'r byd, a nawr ti'n disgwyl i fi goginio i ti hefyd?' meddai Alun.

'Cwrteisi yw cwrteisi,' meddai Wil yn dawel.

'Iawn, iawn,' cwynodd Alun yn grac. 'Beth wyt ti eisiau?'

'Jar o driog,' meddai Wil. 'A *chopsticks* i'w fwyta.'

'Beth?' meddai Alun.

'Mae gen i'r hawl i ofyn am unrhyw beth,' mynnodd Wil. 'Dyna'r rheolau.'

Twt-twtiodd Alun, gan ochneidio. 'Bydd yn difetha dy ddannedd,' meddai, ond trotiodd i ffwrdd, a dychwelyd gyda jar o driog a *chopsticks*.

'Ffarwel am byth,' meddai, a gwthiodd Wil a Dot i mewn i'r dwnsiwn.

Llyfodd Kevin Phillips glust Wil a llithrodd o gwmpas ar ei ben-ôl am ychydig.

Yna caewyd y drws mawr i'r dwnsiwn – *chrrrrrrriiiiiiiooooonnnncccc* – a throwyd yr allwedd gyda *shlonc*.

Roedd Wil a Dot ar eu pennau eu hunain. Ar wahân i'r pryfed cop. A'r malwod. A'r trychfilod hir, rhyfedd gyda biliynau o goesau. A'r rhai eraill gyda phethau pigog chwifiog yn tyfu o'u pennau. Felly, mewn gwirionedd, doedden nhw ddim ar eu pennau eu hunain o gwbl. Ond mewn ffordd, byddai'n well gyda Wil a Dot pe baen nhw.

Roedd hi'n dywyll. Ac roedd y lleithder yn gwneud i Wil besychu. Ac roedden nhw'n mynd i farw. Ac wedyn roedd y byd yn mynd i ddod i ben. Neu falle'r ffordd arall rownd.

Roedd Wil mor sori â sosej. Sori ei fod wedi gweld Alun erioed. Sori ei fod wedi mynd i'w bencadlys dieflig. A sori dros ben nad oedd

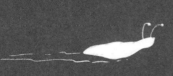

wedi gwisgo sanau mwy trwchus, gan fod ei draed fel blociau o rew.

Ond roedd ganddo gynllun. Cynllun trychfilol. Ti'n gweld, doedd e ddim wir am fwyta triog gyda *chopsticks*. Pe bai unrhyw drychfil mewn wig yn rholio tuag ato ar esgidiau sglefrolio, roedd e'n mynd i daenu'r triog o'i flaen er mwyn i'r sgidiau sglefrolio sticio iddo. Yna roedd e'n mynd i ddefnyddio'r *chopsticks* i dynnu'r wig o ben y trychfil. *Syml.*

Tynnodd Wil y daflen ar **'SUT I STOPIO POENI'** o'i boced.

RHIF CHWECH:

6) *Gall rhoi marc mas o ddeg i'ch ofn fod o help.*

Meddyliodd Wil. Po bai'n rhaid iddo roi marc i'w ofn yr eiliad honno, byddai'n dweud ei fod yn rhif

MAWR MAWR

dros ben. Fel

CABILIWN.

Tebyg i nifer y coesau oedd gan y trychfilod hir hynny. Coesau erchyll wigli wagli. Biliynau ohonyn nhw. *Aaaaa.*

Roedd rhoi marc i'w ofn yn gwneud i Wil deimlo'n waeth. Ac yn ei atgoffa o'r coesau wigli wagli. Ac yn ei atgoffa hefyd fod ofn mathemateg arno.

Beth fyddai'n gwneud i Wil deimlo'n well fyddai cael dod mas o'r dwnsiwn a dianc rhag y creaduriaid rhyfedd wagli mewn wigs yn sglefrio yn y tywyllwch.

Roedd Wil yn **poeni'n arw**. Yna meddyliodd yn ddwys. A meddyliodd a meddyliodd nes bod rhaid i'w ymennydd orffwys a gorwedd am ychydig. Ac yna cafodd syniad.

Agorodd ei jar o driog a'i dywallt dros ei ddarlun o'r trychfil hiiiiiir.

Llithrodd y papur dan ddrws y dwnsiwn.

Yna gwthiodd *chopstick* drwy dwll y clo, gan fwrw'r allwedd drwy ochr arall y drws. Gollyngodd gyda sblat ar y papur triog – a

glynu wrtho. Tynnodd Wil y papur yn ôl o dan y drws a gafael yn yr allwedd.

Rhoddodd yr allwedd i Dot, a llyfodd hi'r allwedd yn lân mewn eiliadau. Rhoddodd Wil yr allwedd yn y clo, ei throi gyda *shlonc* – ac yna gyda llam, herc a naid, roedden nhw'n rhydd!

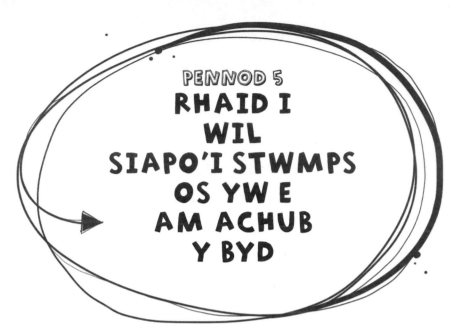

PENNOD 5
RHAID I WIL SIAPO'I STWMPS OS YW E AM ACHUB Y BYD

Aeth Wil ar flaenau ei draed heibio'r tanc siarcod. Roedd yn mynd i stopio'r gwallgofddyn drwg (a'i gi gynorthwyydd). Roedd e'n mynd i achub y byd. Ac wedyn, a dim ond wedyn, byddai'n gwisgo pâr mwy trwchus o sanau.

Ond wrth iddo symud yn araf ac yn dawel tuag at y drws allan o'r pencadlys dieflig, clywodd sŵn *badoing* uchel. Yn sydyn,

agorodd y drws, a rhuthrodd Marc III i mewn.
Taflodd ei hun ar y gadair gyfforddus droellog
a bwytaodd dorth o fara. Cuddiodd Wil tu ôl i
gerflun mawr o berson bach. Neu falle cerflun
bach o berson tal iawn. Roedd hi'n anodd
dweud.

Gwenodd Alun ar y robot.

'O'r diwedd!' meddai. 'Ble wyt ti wedi bod?'

'Mas,' meddai'r robot.

'Rhaid i ti wneud rhywbeth i fi. Rhaid i ti ymosod ar Rwsia,' meddai Alun yn bwysig, gan wneud dwrn a'i godi i'r awyr. Ystum newydd oedd hwn – credai Alun ei fod yn gwneud iddo edrych yn fwy drwg.

'Wel, sa i wir yn teimlo fel ymosod ar Rwsia,' crawciodd Marc III.

''Sdim ots 'da fi sut wyt ti'n teimlo,' meddai Alun. 'Dwi'n gofyn i ti wneud, felly dwi eisiau i ti wneud.'

'Ond dwi'n *brysur*,' meddai'r robot.

'Prysur?' meddai Alun. 'Yn gwneud beth? Syllu drwy'r ffenest?'

'Ie. Hefyd, falle bydda i'n cwrdd â ffrindiau nes 'mlaen.'

'Does dim ffenestri yma hyd yn oed! A gelli

di gwrdd â ffrindiau ar ôl ymosod ar Rwsia,' meddai Alun.

'Pam fi? Sa i'n gwbod ble mae Rwsia, hyd yn oed!'

'Ddim yn gwbod ble mae Rwsia?!' gwaeddodd Alun, gan neidio o un droed i'r llall mewn cynddaredd. 'Gwariais i filiwn o bunnoedd arnat ti! Treuliais saith mlynedd yn mewnbynnu gwybodaeth i dy grombil di. Mi *wyt* ti'n gwbod ble mae Rwsia! Mae ar dy yriant caled!'

'Ydyw e . . . dramor?' gofynnodd Marc III.

'Ydyw e dramor?' tagodd Alun, ei lais yn gwichian. 'Ydyw e dramor? Wrth gwrs ei fod e dramor! Plis dwed dy fod ti'n gwbod bod Rwsia dramor? Yr holl flynyddoedd! Yr holl arian! Pam wnes i drafferthu?'

Trawodd Alun ei ddyrnau bach ar ei ddesg a dechreuodd lefain. Doedd hyn ddim yn gwneud iddo edrych yn fwy drwg, ond braidd yn drist. Pwysodd Wil o'r tu ôl i'r cerflun a phasio hances bapur iddo. Nid un glân – yr un a ddefnyddiodd i sychu wyneb Dot – ond dyna ni.

Wrth i Alun chwythu ei drwyn, crwydrodd Marc III mas o'r pencadlys dieflig wrth i Kevin Phillips ddod i mewn.

Edrychodd Kevin Phillips ar Alun, ar Marc III, ac yna'n ôl ar Alun eto.

'Paid â dweud dim byd,' meddai Alun.

Ddywedodd Kevin Phillips ddim byd.

'Dwi'n gwbod beth ti'n feddwl,' aeth Alun yn ei flaen. 'Ond fy Marc III *i* yw e. Fy unig Farc III yn y byd.'

Ochneidiodd Kevin Phillips.

'Dwi'n gwbod, dwi'n gwbod,' meddai Alun. 'Ond bydd e'n werthfawr iawn ryw ddydd.'

Edrychodd Kevin Phillips yn amheus.

'Mi fydd e!' meddai Alun. 'A rhyw ddydd, bydd e'n cymryd fy lle a bydd angen person i'w gynorthwyo. Bydd dy angen di arno. Ti yw'r person cynorthwyol gorau allai gwallgofddyn dieflig ei gael.'

Cofleidiodd Alun a Kevin Phillips ei gilydd, a llefodd Alun ychydig yn fwy, a cheisiodd Wil ddangos diddordeb mawr yn y llenni gan ei fod yn teimlo na ddylai fod yno.

Ac yna cofiodd na ddylai fod yno O GWBL. Roedden nhw wedi'i gipio ac roedd i fod yn dianc ar unwaith fel mae'n digwydd, diolch yn fawr!

Cododd Wil Dot yn ei freichiau, a sleifio tuag at y lifft heb wneud un smic.

Wel, ar wahân i sŵn Dot yn dweud, 'Ta ta, ta ta, gwallyn deflig,' tua deunaw o weithiau. Yn ffodus, roedd Alun a Kevin Phillips yn rhy brysur yn cofleidio ac yn llefain ac yn mwytho'i gilydd i sylwi.

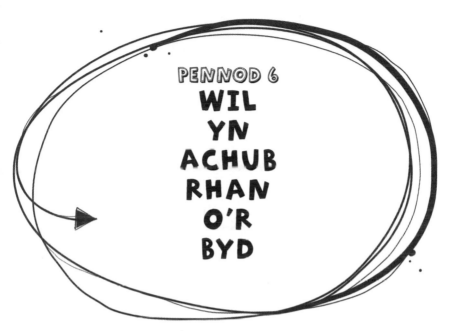

PENNOD 6
WIL
YN
ACHUB
RHAN
O'R
BYD

Roedd Wil yn ôl o dan ei gwilt. Roedd e'n methu stopio meddwl am beth roedd e wedi'i ddarganfod drws nesaf. Roedd gan Alun **beiriant hedfan mecanyddol gwych arbennig hudolus**. A **Gwn Mawr Betingalw**. Ac roedd e'n mynd i ddefnyddio un i gyrraedd Llundain a'r llall i ddinistrio'r byd. Mîp!

Ceisiodd Wil chwibanu i osgoi meddwl am

y cyfan, ond roedd gormod o sŵn tu fas. Ceisiodd wau, ond roedd gwau'n golygu gormod o gyfri, ac roedd gormod o sŵn tu fas.

Ceisiodd wneud dim heblaw gorwedd yno a meddwl am bethau hapus fel moch cwta wedi'u gwisgo fel pobl hanesyddol enwog –

ond roedd gormod o sŵn tu fas. Penderfynodd Wil godi i weld beth oedd yr holl sŵn.

Gan edrych drwy ffenest y llofft, gallai Wil weld Alun yn ei ardd, yn gweithio ar ei **beiriant hedfan mecanyddol gwych arbennig hudolus**. Ni allai weld yn union sut roedd yn edrych gan ei fod wedi'i orchuddio â chynfas a'i amgylchynu gan ffens.

Roedd Alun yn morthwylio, gan daro'r hoelion – ac weithiau ei fawd – yn swnllyd. O bryd i'w gilydd, byddai Alun yn gollwng ei forthwyl a byddai Kevin Phillips yn ei godi ac yn rhedeg i guddio y tu ôl i hen bot planhigyn, ac yna'n cyfarth yn gyffrous. A byddai'n rhaid i Alun ddringo i lawr ei ysgol i'w nôl.

Roedd Wil **yn poeni'n arw**, a cheisiodd ei stumog wneud symudiad tin-dros-ben, fel mewn dosbarth gymnasteg, ond llithrodd gan wneud rhyw fath o ffloberdi-sblat, a cheisiodd ei bengliniau blygu'r ffordd anghywir – oherwydd gwyddai Wil y byddai Alun, ar ôl cwblhau ei **beiriant hedfan mecanyddol gwych arbennig hudolus**, yn hedfan i Lundain ac yna'n dinistrio'r byd. A byddai hynny'n *beth drwg*.

Aeth Wil mas i'r ardd ar flaenau ei draed. Pe gallai gyrraedd y peiriant hedfan . . .

'Reit,' meddai Alun wrth Kevin Phillips,

'wnawn ni gloi'r ffens i sicrhau na all neb gyrraedd y peiriant hedfan.'

Drat, meddyliodd Wil. Ond pe gallai ddarganfod ffordd o ddatgloi'r ffens . . .

'Yna rhaid i ni ddefnyddio llewod i amddiffyn y ffens fel na fydd neb yn gallu ei datgloi,' parhaodd Alun.

Drat dwbl, meddyliodd Wil.

'Ond i ddechrau,' meddai Alun yn bwysig, 'dwi'n mynd i gyflawni **cam un** fy nghynllun dieflig. Y peth yw, Kevin, dim ond un byd sy 'na. Felly dim ond unwaith y cei di ei ddinistrio. A dwi ddim am wneud llanast o'r peth ac edrych yn wirion. Felly er mwyn ymarfer dinistrio'r byd, dwi'n mynd i brofi fy **Ngwn Mawr Betingalw** ar ddarn bach o'r byd – sef ynys fach o'r enw Ynys Wynys.'

Llowciodd Wil. Ynys Wynys? Dyna lle roedd

ei anti'n byw, lle byddai fe a Dot yn mynd ar wyliau ysgol. Fedrai ddim gadael i unrhyw beth ddigwydd i Ynys Wynys! Dyna oedd y lle gorau erioed, gyda llithren llithrig chwyrnellog a thywod hynod dyrchiog a fan fach wen yn gwerthu hufen iâ glas.

Ar ben hynny, roedd Ynys Wynys yn ynys *hanesyddol* bwysig iawn. Ymosodwyd arni gan bobl o'r gogledd yn y ddeunawfed ganrif, ac yn fuan ar ôl hynny ymosododd pobl o'r de.

Ar ôl brwydr hir a gwaedlyd a barhaodd ymhell dros ugain munud, daeth y ddau grŵp i gytundeb, gan gyd-fyw'n heddychlon. Ond mynnon nhw gael pob arwydd ar yr ynys yn eu hieithoedd eu hunain. A dyna fel y buodd hi.

Pam ar y ddaear fyddai unrhyw un yn dewis dinistrio Ynys Wynys? tybiodd Wil.

'Ti'n siŵr o fod eisiau gwbod pam 'mod i wedi dewis dinistrio Ynys Wynys,' meddai Alun wrth Kevin.

I fod yn onest, roedd Kevin yn edrych mwy fel pe bai'n ystyried pam fod ei glust yn cosi. Ond aeth Alun yn ei flaen beth bynnag.

'Dewisais Ynys Wynys gan ei bod yn fach, mae'n agos, ac mae ganddi siop drugareddau dda iawn pan ddoi di oddi ar y fferi,' meddai Alun.

Roedd hynny oll yn wir. Fedrai Wil ddim beirniadu ei resymeg.

'Wna i ddim mynd â ti gyda fi, Kevin Phillips, gan nad yw cynffonnau mawr a siopau trugareddau'n gyfuniad da,' meddai Alun. 'Felly arhosa'n fan hyn. Arhosa. Eistedda. Arhosa. Kevin, arhosa. *Arhosa* ddywedais i. Kevin!'

Ond roedd Kevin wedi mynd i gyfarth ar goeden am hanner awr gan iddo feddwl *falle* iddo weld wiwer.

Ochneidiodd Alun, cododd ei **Wn Mawr Betingalw** , a dechreuodd tuag at gyfeiriad Ynys Wynys ar ei ben ei hun.

Ond doedd e ddim ar ei ben ei hun, nag oedd?

Oherwydd roedd Wil, ar ôl brwsio'i ddannedd, cribo'i wallt, rhoi Stiwart yn ei boced a Dot yn ei bygi, *reit tu ôl iddo*.

Dilynodd Wil Alun yn dawel. I lawr y stryd, lan y ffordd, i lawr y lôn, lan yr ali – yn syth tuag at y porthladd.

O na!

Y porthladd!

Mae'r porthladd yn golygu cychod. Ac mae cychod yn golygu môr. Ac roedd y môr yn golygu'r teimlad pryderus sigledig yna yn stumog Wil. Beth pe bai yno fwystfilod y môr? Beth pe bai yno sgwid enfawr? Neu hyd yn oed sgwid maint arferol? Neu slefren fôr? Neu gorgimwch – roedd ganddyn nhw bethau chwifiog a llygaid arswydus. Roedd Wil am gerdded adref ar flaenau ei draed eto. Doedd dim rhaid i neb wbod ei fod erioed wedi bod yno. Ond byddai *e'n* gwbod.

Cododd Wil ei bensil a'i lyfr nodiadau a thynnu lluniau'r pethau a oedd yn ei boeni.

Bwystfil y môr yn suddo'r fferi.

Ac yna tynnodd lun y **SEFYLLFA WAETHAF**.

Bwystfil y môr gyda mwstásh cyrliog yn suddo'r llong ac yna'n bwyta Wil a Dot. Roedd ofn mwstashys cyrliog ar Wil. Ac ofn cael ei fwyta.

Roedd Wil **yn poeni'n arw**. Yna meddyliodd yn ddwys. A meddyliodd a meddyliodd nes bod rhaid i'w ymennydd orffwys a gorwedd am ychydig.

Edrychodd ar Dot a gwenodd hi'n ôl, gwên grystiog llawn llysnafedd. A gwnaeth hi disian.

Ac yna fe'i bwrodd – nid y llysnafedd, y syniad.

Pan oedd Wil a Dot gartref ac roedd Dot yn cripian tuag at Wil ac roedd Wil yn poeni ei bod hi'n mynd i roi llysnafedd ar ei bengliniau, byddai'n taflu rhesinen bach sych du ati a byddai hynny'n ddigon i dynnu ei *sylw*.

Felly os oedd bwystfilod y môr yr un fath â Dot, roedd angen fersiwn mwy o'r tric rhesinen arno.

Rhuthrodd Wil i'r siop i brynu dau bâr o gogyls (rhag ofn i'r fferi gael ei suddo gan fwystfil y môr), siswrn bach (i dorri mwstashys) a phwdin Nadolig mawr, gan ei fod yn edrych fel pelen anferth o resins.

Hyfryd.

Roedd Wil yn siŵr y byddai bwystfil y môr yn ei hoffi.

ROEDD E'N GYNLLUN DA.

ROEDD E'N GYNLLUN GWYCH.

DOES GEN I DDIM PROBLEM

GYDA'R CYNLLUN.

Ond pan oedd Wil yn siopa, aeth Alun a phrynu'r tocyn olaf un ar gyfer y daith fferi deuddeg o'r gloch. *Drat.* Beth fyddai Wil yn ei wneud nawr? Doedd y fferi nesaf ddim am *dair awr.*

Roedd hyn yn gyfle perffaith i fynd adref a chuddio yn y gwely.

Ond pa les fyddai hynny'n ei wneud?

Byddai'n gwneud i Wil deimlo lot yn well, am un peth.

Byddai, ond dim ond dros dro.

Felly? Mae hynny'n well na dim.

Un funud, esgusodwch fi, ond pwy y'ch chi? Fi sy'n adrodd y stori. Stopiwch dorri ar fy nhraws i ac anghytuno gyda fi.

Sori.

Felly ble o'n i . . .?

Wna i ddim dweud dim mwy.

Da iawn.

Darllenodd Wil ei daflen **'SUT I STOPIO POENI'**.

RHIF SAITH:

7) *Ceisiwch feddwl yn gadarnhaol.*

Roedd hynny'n syniad da. Meddyliodd a meddyliodd Wil. A meddyliodd. A meddyliodd

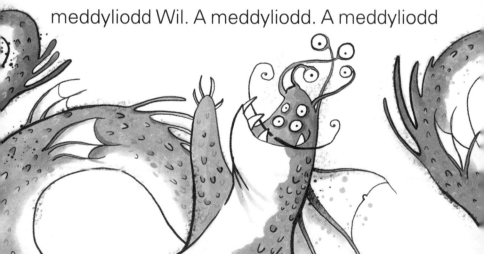

y dylai fod yn ddewr a dal y fferi nesaf. Ac nad oedd y fath beth â bwystfilod y môr, mwy na thebyg. Ac os *oedd* y fath beth â bwystfilod y môr, falle y bydden nhw'n gyfeillgar. Ac os *nad* oedden nhw'n gyfeillgar, falle na fyddai eisiau bwyd arnyn nhw. Ac os *oedd* eisiau bwyd arnyn nhw, falle na fydden nhw'n hoffi blas bechgyn bach o'r enw Wil. Neu falle y byddai ganddyn nhw alergedd at fechgyn bach o'r enw Wil. Meddyliau **cadarnhaol** iawn. Gan deimlo'n **gadarnhaol** iawn, prynodd Wil ei docyn ac arhosodd.

Tjyg tjyg tjyg tjyg aeth Alun.

Sefyll sefyll sefyll sefyll aeth Wil, Dot a Stiwart (yn aros am y fferi).

Tjyg tjyg tjyg tjyg aeth Alun.

Sefyll sefyll sefyll sefyll aeth Wil, Dot a Stiwart.

Tjyg tjyg tjyg tjyg aeth Alun.

Mae hon yn ras ddiflas, meddyliodd Wil.

O'r diwedd, aeth Wil, Dot a Stiwart ar y fferi nesaf.

Tjyg tjyg tjyg tjyg aeth Alun – yn y pellter.

Tjyg tjyg aeth Wil, yn araf araf iawn, gan ei fod ar y fferi arafach.

Tjyg tjyg tjyg tjyg aeth Alun, bron o'r golwg.

Tjyg tjyg aeth Wil, gan wylio darn o froc môr yn eu pasio.

'Mi bryna i'r robin blastig ar frigyn gwydr,' meddai Alun – gan ei fod bellach yn y siop drugareddau.

Tjyg tjyg aeth Wil.

Bedair awr yn ddiweddarach, cyrhaeddon nhw Ynys Wynys. Doedd Wil heb fod yn sâl, a doedd heb weld sgwid (enfawr nac arferol) na bwystfil y môr na chorgimwch. Aeth y daith yn iawn! Nid oedd ofn cychod arno bellach! Hwrê!

Dawns-herciodd Wil i ddathlu, ac yna meddyliodd y dylai frysio i ddal Alun. Felly herciodd ar ddwy goes, mewn ffordd y byddai rhai pobl yn ei alw'n rhedeg ond sy'n llawer mwy **sbroingiog**.

Erbyn i Wil ddal Alun, roedd Alun eisoes wedi cyhoeddi cam gyntaf ei gynlluniau i ddinistrio'r byd, ac roedd criw crac o bobl wedi ymgasglu o'i gwmpas.

Nid gor-ddweud fyddai honni bod o leiaf dau ohonyn nhw yno.

Roedd y gweddill gartref gan nad oedden nhw'n hoffi gwrthdaro.

'Paid ti â dinistrio ein hynys ni!' gwaeddodd un.

'Paid ti â dinistrio ein hynys ni!' gwaeddodd y llall, yn ei iaith wahanol ei hun.

'Beth ddywedodd e?' meddai'r cyntaf, wrth neb yn benodol.

'Fedra i ddim deall gair wyt ti'n ei ddweud,' meddai'r ail wrth y cyntaf.

'Beth am adael i mi gyfieithu?' awgrymodd Wil.

'Syniad da,' meddai'r cyntaf. Beth am roi'r enw Bob iddo?

'Syniad da,' meddai'r ail. Beth am roi'r enw Bob iddo fe hefyd? Na, un funud, mae hynna'n syniad twp. Beth am roi'r enw Maelon iddo?

'Syniad da,' meddai Alun. 'Iawn, bawb. Y newyddion da: dwi ar fin rhoi cynnig ar fy **Ngwn Mawr Betingalw** cyfoes technolegol sgleiniog arbennig diweddaraf. Y newyddion drwg: bydd yn golygu dinistrio eich ynys a phopeth arni, gan eich cynnwys *chi*.'

Trodd Wil at Bob a dweud, 'Yn anffodus, ry'ch chi i gyd yn mynd i farw.'

Yna trodd at Maelon a dweud, 'Yn anffodus, ry'ch chi i gyd yn mynd i farw.'

Cydiodd Bob a Maelon yn eu calonnau, ac yn eu cegau, ac yn ei gilydd.

'Naaaaaaaaaaaaaaaaaaaaa!' meddai Bob.

'Naaaaaaaaaaaaaaaaaaaaa!'

'Rhaid i ni – sut mae dweud – ei stopio!' meddai Bob wrth Maelon.

Tynnodd Maelon lyfr ymadroddion bach o'i boced a chwilio am y gair 'oes'. Y gair oedd 'oes'.

'Oes,' meddai Maelon.

'Rhy hwyr!' gwaeddodd Alun. 'Y cyfan sy'n rhaid i mi ei wneud yw gwasgu'r côd yn fan hyn . . .'

Tapiodd Alun gyfres o rifau, sef ei benblwydd a'i oedran wedi'u hadio at ei gilydd.

'. . . ac yna anelu'r **Gwn Mawr Betingalw** atoch chi, a bydd yr holl ynys yn toddi mewn tymheredd biliwn gradd. Felly paratowch, achos gallai hyn roi dolur . . .'

Symudodd bys Alun tuag at y botwm

Roedd fel pe bai popeth wedi arafu. Mewn gwirionedd, roedd Alun yn symud yn araf iawn, i greu effaith ddramatig.

Wrth i'w fys symud yn araf, araf, araf tuag at y botwm, cafodd Wil syniad gwych. Tynnodd y pwdin Nadolig mas o'i fag cefn, a'i rolio tuag at faril y Gwn Mawr Betingalw wrth i Alun bwyso'r botwm

Ffitiodd y pwdin yn berffaith yn y baril.

Roedd saib. Edrychodd Wil ar Alun. Edrychodd Alun ar Wil. Edrychodd Bob ar Maelon. Edrychodd Maelon ar Bob. Edrychodd pob un ohonyn nhw ar ei gilydd.

Beth oedd Wil wedi'i wneud? Oedd e wedi stopio'r **Gwn Mawr Betingalw**? Rhoddodd

Wil gogyls Dot dros ei llygaid, a'i gogyls ei hun dros ei lygaid ei hun.

Arhosodd amser yn ei unfan. Yna symudodd amser o gwmpas ychydig a chiciodd garreg. Yna aeth amser yn ei flaen eto.

Daeth sŵn dwfn. A sŵn chwibanu. A rhyw fath o sŵn llowcio, ac yna fflachiodd laser dros yr ynys, gan oleuo popeth yn goch ofnadwy am sawl eiliad.

Yn sydyn, dechreuodd Bob a Maelon ac Alun sgrechian. Slapion nhw eu pennau a hercio o gwmpas a rhedeg mewn cylch. Ond wnaethon nhw ddim toddi.

Roedd pwdin Nadolig Wil wedi amsugno'r rhan fwyaf o bŵer y **Gwn Mawr Betingalw**, ac wedi lleihau'r grym o dymheredd Biliwn Gradd i dymheredd Mudlosgi Aeliau. A bellach, roedd eu chwech ael yn mudlosgi'n braf. (Yn ffodus, doedd dim aeliau gan Stiwart, ac roedd rhai Wil a Dot wedi'u hamddiffyn gan eu gogyls, i'r rhai ohonoch sy'n cyfri aeliau.)

Dyrnodd Bob Maelon. Taflodd Maelon fwced o ddŵr dros Bob. Trawodd Wil dalcen Alun yn garedig gyda Mochyn, tegan mochyn meddal Dot.

Mewn eiliadau, roedd eu haeliau wedi stopio mudlosgi ac roedd popeth yn dawel. Er bod arogl aeliau llosg rhyfedd yn yr aer.

'Diolch!' meddai Bob wrth Wil.

'Diolch!' meddai Maelon wrth Wil.

'Twpsyn!' meddai Alun wrth Wil.

'Ti 'di achub popeth!' meddai Bob.

'Ti 'di sbwylio popeth!' meddai Alun.

'Ry'n ni'n fyw!' meddai Maelon yn llawen.

'Maen nhw'n fyw!' meddai Alun yn bigog. 'Wna i ddim cael fy enwi yn y **llyfrau hanes** am fudlosgi aeliau cwpwl o bobl, na wnaf?' meddai'n druenus.

'Edrychwch,' meddai Wil yn llawn cydym-deimlad. 'Dwi'n credu ei bod hi'n amser mynd adre. Dwi'n credu eich bod chi wedi blino.'

'Dydw i *ddim* wedi blino!' protestiodd Alun, gan ddylyfu gên a rhwbio'i lygaid.

'Ac yn emosiynol,' meddai Wil.

'Waaaaaaaaaa, dydw i ddim yn emoooosiynnnnolllll,' meddai Alun, gan ddechrau llefain.

'A chi'n gwbod pa mor ddiamynedd mae hynny'n eich gwneud chi,' meddai Wil.

'BETH?' bloeddiodd Alun. 'Dydw i DDIM yn ddiamynedd! Wyt ti'n MEIDDIO dweud fy mod i'n ddiamynedd? Mae'n fy NGWYLLTIO pan mae pobl yn dweud fy mod i'n ddiamynedd, achos dyw e DDIM YN WIR!' meddai Alun, gan guro'i ddyrnau bach ar y llawr.

'Dydw i DDIM wedi blino, dwi AR DDI-HUN yn llwyr, a dwi . . .'

Roedd Alun yn cysgu.

Rhoddodd Wil flanced Dot drosto. Cododd hi, gwnaeth yn siŵr fod Stiwart yn dal yn ei boced, a gadawodd ar flaenau ei draed gyda Bob a Maelon.

Dilynodd Bob yr arwydd 'Canol y Dref' a dilynodd Maelon arwydd gwahanol 'Canol y Dref' a dilynodd Wil a Dot yr arwydd 'Fferi'.

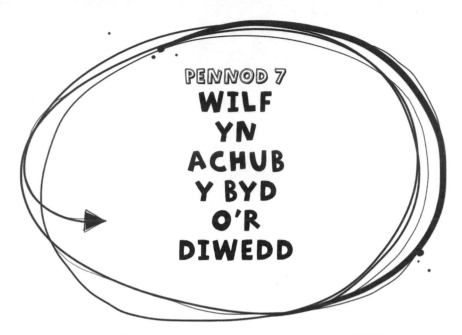

PENNOD 7

WILF YN ACHUB Y BYD O'R DIWEDD

Roedd hi'n amser cinio, ac roedd Wil yn y gegin. Roedd e'n bwyta brechdan yn llawn mwynhad. Hynny yw, roedd yn ei mwynhau. Ond wedi meddwl, brechdan gaws oedd hi. Felly roedd e'n bwyta brechdan yn llawn caws yn llawn mwynhad.

Ac roedd e'n meddwl, ar ôl y ffwdan yn Ynys Wynys, falle yr âi bywyd yn ôl i'r arfer. Roedd wedi achub rhan o'r byd – falle nawr gallai ddysgu chwibanu tiwn newydd neu fireinio'i hercio neu wau gwisg newydd i Stiwart y pry lludw. Falle byddai Alun yn aros ar Ynys Wynys ac yn stopio bod yn ddrwg ac yn cael gwersi dawnsio.

Cnôdd Wil yn hapus, gan wylio Dot wrth iddi osod darn o gaws yn ofalus yn y peiriant DVD. Yna safodd a dechreuodd wasgu ail ddarn o gaws ar y ffenest.

Wrth i Wil wylio, sylwodd ar rywbeth y tu ôl i'r caws. Roedd Alun yn dod oddi ar fws gyda'i **Gwn Mawr Betingalw**. Nid oedd yn edrych yn hapus, ac nid oedd yn edrych fel ei fod wedi dechrau ar ei wersi dawnsio. Cerddodd yn syth at ddrws ei dŷ a chanu'r gloch. Dim ateb. Canodd eto.

Dim ateb. Curodd y drws yn galed a gwaeddodd, 'LRCh2FL309fersiwn8.4marcIII! Deffra!'

Dim byd.

Llithrodd Wil o'i gadair ac aeth tu fas. Roedd ar fin gofyn i Alun a oedd am aros yn eu tŷ nhw pan agorodd drws Alun. Yno safai Marc III yn blincio. Neidiodd Kevin Phillips ar Alun yn gyffrous gan roi ei bawennau mwdlyd dros ei got law i gyd.

'Beth sy'n mynd ymlaen?' gofynnodd Marc III. 'Faint o'r gloch yw hi?'

'Dinistrio'r byd o'r gloch!' meddai Alun. 'Heddiw yw'r diwrnod! Cam un – ymosoda di ar Tsieina. Cam dau – casgla bawb a dweud wrthyn nhw am aros yn llonydd. Cam tri – bydda i'n cyrraedd gyda fy **Ngwn Mawr Betingalw** ac yna byddwn ni'n dinistrio'r–'

'Ie, dwi dal ddim yn siŵr am y busnes dinistrio'r byd 'ma . . .' meddai Marc III.

'Beth?' meddai Alun.

'Dyw'r syniad ddim yn apelio,' eglurodd Marc III.

'Ond, ond, ond . . . mae'r cyfan wedi'i drefnu a'i dalu amdano!' meddai Alun yn ddryslyd.

'Ie wel . . . Dwi'n credu yr af i i deithio yn lle dinistrio'r byd.'

'Wel, gallet ti *deithio* i Tsieina,' awgrymodd Alun yn obeithiol, 'ac yna'i dinistrio?'

'Ro'n i'n meddwl am rywle mwy traethog,' meddai Marc III.

'*Iawn*,' meddai Alun. 'Wel, os felly, allet ti fynd i rywle mwy *traethog* – ac yna dinistrio'r fan honno?'

'Na,' atebodd Marc III. 'Mae angen blwyddyn bant arna i. Dwi'n mynd i ymlacio'n llwyr.'

Edrychodd Alun yn ffwndrus. 'Ond rhag-lennais i ti fel dy fod eisiau dinistrio'r byd.'

'Sori,' meddai Marc III. Rhoddodd ddarn o fara yn ei geg a brasgamodd yn ôl i'r tŷ.

Ochneidiodd Alun.

Edrychodd Kevin Phillips ar Alun mewn ffordd a awgrymai, 'Dywedais i.' Neu falle mewn ffordd a awgrymai, 'Mae angen bisged arall arna i.' Roedd hi'n anodd dweud.

'Bydd e 'nôl,' meddai Alun yn ansicr.

Yna, rhoddodd Marc III ei ben o amgylch y drws.

'Ti'n gweld!' meddai Alun, gan wenu'n llawen.

'Ga i fenthyg arian?' gofynnodd Marc III.

'Iawn,' meddai Alun, ei ysgwyddau'n cwympo.

Rhoddodd ychydig o arian i Marc III o'i waled, yna newidiodd ei feddwl a rhoi'r waled gyfan iddo.

'Bydd yn ofalus,' meddai Alun. 'Ffonia fi!' galwodd wrth i'r robot gerdded i lawr y llwybr gan gario bag cefn bach.

'Iawn, anghofiwn ni am ymosod ar Tsieina na Rwsia nac unrhyw le arall,' meddai Alun, gan droi at Kevin Phillips. 'Hedfanwn ni i Lundain a dinistrio'r byd, fel ro'n i'n bwriadu ei wneud. Mi af i bacio.'

Teimlodd Wil law oer ofn yn cydio yn ei bants. Trosbennodd ei stumog am yn ôl ddwywaith a **badoingiodd** ei bengliniau dros y lle i gyd. Roedd rhaid iddo wneud rhywbeth. Roedd rhaid iddo stopio Alun. Ond sut?

Roedd rhaid iddo ddinistrio'r **peiriant hedfan mecanyddol gwych arbennig hudolus**. Ond roedd y ffens o'i gwmpas wedi cloi a dywedodd Alun y byddai llewod yn ei hamddiffyn. Ac roedd ofn gwirion ar Wil o gael ei ladd mewn sgarmes â llew. Wel, nid yw'n rhywbeth mor wirion â hynny i'w ofni, wedi meddwl.

Tynnodd Wil lun o lew.

Yna ceisiodd Wil feddwl am beth allai fod yn waeth na dod wyneb yn wyneb â llew. Roedd ofn balwnau arno, ac roedd gwir ofn y deintydd arno hefyd.

Dod wyneb yn wyneb â llew oedd hefyd yn ddeintydd ac a oedd yn cydio mewn balŵn?

Roedd angen cynllun ar Wil. ROEDD YN POENI'N **ARW**. Yna meddyliodd yn ddwys. A meddyliodd a meddyliodd fod rhaid i'w ymennydd orffwys a gorwedd am ychydig. Ac yna cafodd syniad.

Pe bai ganddo bìn bawd, gallai bopio'r balŵn.

A phe bai'n gwisgo dannedd gosod ei fam-gu, ni fyddai'r llew-ddeintydd yn gallu anafu ei ddannedd go iawn.

Ond beth allai wneud am chwant llewod am fechgyn bach?

Cnôdd Wil yn feddylgar ar ei gwm cnoi, a chwythodd swigen.

Popiodd.

Dyna ni!

Pe bai'n casglu'r holl gwm cnoi y gallai ddod o hyd iddo ac yn ei daflu i mewn i geg y llew, ni allai'r llew ei fwyta.

Tynnodd Wil lun o hyn.

Paciodd Wil ei fag cefn gyda phìn bawd a phelen enfawr o gwm cnoi, a rhoddodd ddannedd gosod ei fam-gu yn ei geg.

Yna darllenodd y daflen eto.

RHIF WYTH:

8) *Ewch i'ch lle llawen. Yn hytrach na meddwl am y peth sy'n eich dychryn, meddyliwch am fod yn rhywle braf, fel traeth.*

Dychmygodd Wil ei fod ar draeth. Gobeithiodd na fyddai'n llosgi yn yr haul. Ac roedd yn gobeithio na fyddai'n gweld cranc. Roedd yn gas ganddo grancod – roedden nhw'n sgytlog ac yn gragennog a gallen nhw bigo bysedd ei draed, ac yna gallai gwympo a chael gwymon ar ei wyneb ac *aaaaaaa*! Roedd y syniad o eistedd ar draeth yn gwneud iddo deimlo'n waeth.

Edrychodd ar **RHIF NAW** ar y daflen.

9) *Ceisiwch anadlu'n ddwfn.*

Dechreuodd Wil anadlu'n ddwfn. Anadlodd mor drwm ag y gallai, ond yna dechreuodd boeni y gallai lyncu gwybedyn ac yna gallai'r gwybedyn ddodwy wyau ac yna bob tro

yr anadlai mas byddai

CABILIWN

o wybed yn hedfan o'i geg, a byddai pobl yn
ei alw'n 'Wil-anadl-gwybed'.

Neidiodd Wil. Byddai'n well ganddo
frwydro yn erbyn llew-ddeintyddion nag
anadlu gwybed a chael ei bigo gan grancod.
Rhoddodd Dot ar ei ysgwyddau a rhuthrodd i
ardd Alun.

Pan gyrhaeddodd yno, roedd e wrth ei fodd
i weld nad oedd llew-ddeintyddion yn gafael
mewn balwnau yn yr ardd. Ond roedd top y
**peiriant hedfan mecanyddol gwych
arbennig hudolus** i'w weld y tu ôl i'r
cynfas. Oddi tano, roedd pad lansio enfawr,
a thŵr tal tal drws nesaf iddo gyda llawer
o fotymau na ddylai Dot eu pwyso. Felly

glynodd y belen fawr o gwm cnoi i'r ffens, a gwthiodd Dot i ganol y gwm cnoi – i'w chadw'n ddiogel.

Yna camodd Wil ar flaenau ei draed at y panel rheoli.

'Beth wyt ti'n ei wneud?' mynnodd Alun.

Neidiodd Wil, gan wneud sŵn gweryru sgrechlyd.

'Dim byd!' meddai.

Ond gan ei fod yn gwisgo dannedd ei fam-gu, dywedodd,

'*Mmmmmffwwwffffffimmmmm!*'

'Beth?' meddai Alun.

Tynnodd Wil ei ddannedd. ''Mond edrych ar y ffon yma,' meddai, gan godi darn o bren a welodd ar y ddaear.

'Warchodlu!' gwaeddodd Alun.

Rhewodd Wil ac edrych o'i gwmpas. Ddigwyddodd dim byd.

'WARCHODLU!' meddai Alun, ychydig yn uwch.

Camodd dyn bach yn bwyta brechdan allan o gwt bach llwydfelyn oedd nesaf at y pad lansio. Roedd y rhaniad yn ei wallt yn rhy bell ar un ochr o'i ben. Os dychmygwch fod pen person yn gloc, dylai rhaniad y gwallt fod rhywle rhwng un ar ddeg ac un o'r gloch. Ond roedd rhaniad gwallt y dyn hwn ar dri o'r gloch.

Llyncodd y dyn-gyda-rhaniad-ar-dri-o'r-gloch ei lond ceg o frechdan, cliriodd ei wddw, ac meddai, 'Dim ond "gwarchodwr", wir. Nid "gwarchod*lu*". Dim ond fi sy 'ma.'

'Ble mae'r lleill?' gofynnodd Alun.

'Mae apwyntiad meddyg gan Ianto, ac mae'r lleill ar gwrs hyfforddiant, yn dysgu sut i ddefnyddio'r Cyfarpar Dinistrio Tresbaswyr newydd.'

'Ble mae'r llewod?' gofynnodd Alun.

'Cawson nhw eu danfon i'r tŷ anghywir,' meddai'r dyn-gyda-rhaniad-ar-dri-o'r-gloch.

'Wel, 'allet ti daflu'r bachgen 'ma i'r llawr?' gofynnodd Alun yn ddiamynedd. 'Mae'n tresbasu ac mae'n chwarae gyda ffon sy'n perthyn i Kevin Phillips.'

'Does dim yr hoffwn wneud yn fwy na thaflu'r bachgen yna i'r llawr, ond mae 'da fi broblem 'da fy mhen-glin, ti'n gweld. Roedd 'na ddigwyddiad. Wythnos diwethaf. Popodd e mas. Hoffen i ddim i hynny ddigwydd 'to,' meddai'r dyn-gyda-rhaniad-ar-dri-o'r-gloch.

'Iawn,' meddai Alun. 'Allet ti ei droi'n hylif 'te, plis? Gyda'r Cyfarpar Dinistrio Tresbaswyr newydd.'

'Alla i ddim. Dwi ddim wedi bod ar y cwrs hyfforddi. Bydd y lleill yn gallu pan fyddan nhw 'nôl. Mae angen tystysgrif arnat ti,' esboniodd y d-g-rh-a-d-o-g.

'Wel, sblatia fe'n deilchion 'te!' meddai Alun yn swta.

Cynhyrchodd y d-g-rh-a-d-o-g ddogfennau. 'Mae'r rheoliadau iechyd a diogelwch diweddaraf yn dweud na ddylen ni geisio sblatio pethau mor fach â'r bachgen bach yna yn deilchion. Dyw e ddim yn llawer mwy na theilchionyn fel y mae e.'

Rhoddodd Alun ei ddwylo ar ei gluniau.

'Fyddai'n ormod i'w ofyn,' meddai braidd yn oeraidd, 'i ti wneud iddo deimlo'n ofnus ac anghyfforddus mewn rhyw ffordd?'

'Wrth gwrs na fyddai,' meddai'r d-g-rh-a-d-o-g.

'Diolch,' ochneidiodd Alun.

Camodd y d-g-rh-a-d-o-g tuag at Wil.

'Mae twymo byd-eang yn gwaethygu, ac rwyt ti'n rhannol ar fai.'

'O. Sori,' meddai Wil.

'Wnaiff hynny'r tro?' gofynnodd y d-g-rh-a-d-o-g. 'Achos, i fod yn onest, dwi ar fy egwyl ginio.' Wrth iddo siarad, ceisiodd wastadu ei wallt a oedd wedi'i rannu yn y lle anghywir, ond roedd yn mynnu mynd yn ôl i'w le. 'Hefyd, mae'n ben-blwydd arna i,' ychwanegodd, gan estyn balŵn o'i gwt.

'Aaaaaa!' sgrechiodd Wil, gan bopio'r balŵn gyda'r pìn bawd.

Edrychodd y d-g-rh-a-d-o-g ar ei gyn-falŵn mewn syndod.

'Ddrwg gen i,' meddai Wil. 'Ro'n i'n poeni y gallai bopio . . . felly wnes i ei bopio.'

Edrychodd Alun a'r d-g-rh-a-d-o-g ar Wil.

'Wel, beth bynnag,' meddai Wil, 'rhaid i mi fynd. Dyw'r ffon 'ma ddim mor ddiddorol â hynny. Hefyd, mae rhywun wedi glafoerio drosti – felly mi a' i adre. Does dim rhaid i chi fy nhroi i'n hylif na dim byd.'

'Da iawn,' meddai Alun, 'achos dwi'n eitha prysur, fel mae'n digwydd, yn gwneud pethau cyfrinachol sy'n gyfrinachol ac na allen i fyth ddweud wrthot ti amdanyn nhw.'

Wrth iddo siarad, daeth mochyn cwta heibio yn y cefndir ar flaenau ei draed, gan geisio dianc.

'Iawn 'te,' meddai Wil, gan symud tuag at y ffens.

'Ond rhaid dweud hyn – mae *rhywun* yn mynd i wneud *rhywbeth* i *rywbeth mawr*. Ond dyna'r cyfan ddyweda i.'

'Ocê,' meddai Wil, gan droi unwaith eto.

'Ac mae'r *rhywun* hwnnw'n *rhywun ti'n* ei nabod.'

'Wela i,' meddai Wil. Achos mi oedd e.

'Ond dyna'r *cyfan* dwi'n ei ddweud,' parhaodd Alun.

'Digon teg,' meddai Wil, gan gerdded i ffwrdd.

'Alli di ddyfalu pwy?' gofynnodd Alun.

'Na, fedrwn i fyth ...'

'Tria!' mynnodd Alun.

'Sdim syniad 'da fi . . .'

'Dyfala!'

'Ydy'r frenhines yn mynd i gosi eliffant?' gofynnodd Wil.

'Beth?' meddai Alun.

'Dyna *rywun dwi'n ei nabod* yn gwneud *rhywbeth* i *rywbeth mawr.*'

'Na, wrth *gwrs* nad yw'r frenhines yn mynd i gosi eliffant. Pam ar y ddaear fyddai'r frenhines yn cosi eliffant? Wyt ti'n *ceisio* mynd ar fy nerfau?'

'Na. Mae fel pe bai'n dod yn naturiol,' meddai Wil yn onest, gan dynnu Dot oddi ar y ffens gyda *thwang* llysnafeddog.

'Iawn, iawn, mi wna i ddweud ychydig yn fwy. Y *rhywun* yw *fi* ac mae'r *rhywbeth* yn beth *dinistrio*. A'r *rhywbeth mawr* yw'r *byd*. Ond dyna'r cyfan ddyweda i,' meddai Alun. 'Nawr, esgusoda fi, mae'n rhaid i mi fynd i danio'r **peiriant hedfan mecanyddol gwych arbennig hudolus**.'

'Does dim rhaid i chi ddinistrio'r byd *heddiw*, cofiwch. Gallech chi wneud rywbryd eto,' meddai Wil yn gyflym.

'Na, mae'n rhaid gwneud heddiw,' meddai Alun. 'Mae yn fy nyddiadur a phopeth.'

'Ond pam y'ch chi am ddinistrio'r byd?' gofynnodd Wil.

'Achos . . .' meddai Alun, 'mae pobl sy'n canu eu cyrn arnon ni a phobl sy'n gwthio o'n blaenau mewn ciwiau a phobl sy'n edrych arnon ni'n rhyfedd a thrychfilod sy'n cnoi a germau sy'n hedfan a chyfrifiaduron sy'n gwrthod gweithio ac mae llanast a sŵn a throsedd ac ofn ac mae'n rhaid i'r CYFAN ddod i ben.'

'Hmm. Dwn i ddim,' meddai Wil yn feddylgar. 'Mae rhai trychfilod yn neis iawn. Mae gen i bry lludw anwes o'r enw Stiwart sydd wastad yn garedig a chwrtais. Gallen y'ch cyflwyno chi–'

'Na!' meddai Alun. 'Rhaid i'r cyfan ddod i ben! A fi fydd yn ei stopio ac wedyn bydda i'n fyd-enwog ac yn rhan o hanes a bydd pawb yn gwbod fy enw!'

'Ie, sonioch chi am hynny,' meddai Wil. 'Ond beth am fy syniad i am fod yn enwog am wneud pethau da a neis iawn? Neu am wneud pethau anarferol fel eistedd mewn bath llawn jeli am bythefnos?'

Ond doedd Alun ddim yn gwrando. Cerddodd tuag at ei **beiriant hedfan mecanyddol gwych arbennig hudolus**.

Chwibanodd ar Kevin Phillips, ac yna dringodd y ddau ohonyn nhw risiau'r twr, camu drwy'r drws, ac eistedd i lawr. Yn ddramatig, gwasgodd Alun y botwm

.

Dechreuodd drws y beiriant gau – *ffffffffpffffffffffffffffffft* – yn araf, araf.

Yna gwasgodd Alun fotwm arall, oedd yn dweud

LANSIO

ac roedd swn mawr dwfn *bbbbbbbbbbb-rrrrrrrrrrrr* i'w glywed.

Sylweddolodd Wil beth oedd yn digwydd,

a rhedodd yn *gyflym gyflym* lan risiau'r tŵr, *tip tap tip tap tip tap*, ac yna rhuthrodd **thwd thwd thwd thwd** – tuag at y drws electronig oedd yn cau.

Fffffffpffffffffffffffffft

THWD THWD.

Fffffffpfffffffffffffffffft.

Thwd thwd thwd.

Roedd Wil bron â chyrraedd.

Roedd y drws bron ar gau.

Roedd Wil bron â chyrraedd.

Roedd y drws bron ar gau.

Fffffffpfffffffffffffffffft.

THWD THWD.

DOINC.

Roedd Wil yn rhy hwyr. Caeodd y drws. A bownsiodd oddi ar yr ochr.

AW.

Drat.

Yna clywodd sŵn

SSSSSSSSSSTSSSSSSSSSSS SSSSSSSSSSSSTSHHHHHHHH

a llifodd mwg o waelod y **peiriant hedfan mecanyddol gwych arbennig hudolus.**.

Gyda Dot dan un fraich, rhuthrodd Wil i lawr y grisiau, sgrialu slip sgrialu slip sgrialu sgrialu crafu slip sgrialu sgyff cwt slip sgrialu, tan iddo ddianc rhag y perygl.

A dyna lle buon nhw ar eu cwrcwd y tu ôl i'r cwt pren yn gwylio Alun yn codi i'r awyr yn ei **beiriant hedfan mecanyddol gwych arbennig hudolus**. Roedd yn olygfa **syfrdanol**. Cododd gwynt mawr,

a chwythwyd gwallt y
d-g-rh-a-d-o-g i'r ochr fel y gallai
Wil weld ei ben moel yn sgleinio drwy'r
mwg. Roedd hynny'n eitha **syfrdanol**
hefyd.

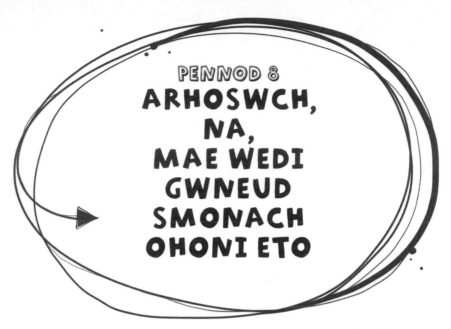

PENNOD 8
ARHOSWCH, NA, MAE WEDI GWNEUD SMONACH OHONI ETO

Roedd Alun wir wedi creu **peiriant hedfan gwych**. Roedd wedi adeiladu model o'r creadur mwyaf mawreddog sydd i'w gael – pry teiliwr (neu dadi-coesau hir, neu jac y baglau . . . neu beth bynnag ry'ch chi am ei alw e!).

Ie, pry teiliwr mecanyddol enfawr chwe metr o daldra.

Yng nghab ei gerbyd gogoneddus, gwasgodd Alun fotwm 'YMLAEN'. Hedfanodd y pry teiliwr yn osgeiddig drwy'r awyr. Am fetr neu ddwy. Wedyn saethodd i un ochr. Yna aeth o amgylch polyn lamp ryw ugain o weithiau, yna clymodd ei hun mewn cwmwl, yna daeth un o'i goesau i ffwrdd, yna daeth coes arall i ffwrdd – ac yna aeth i eistedd ar ben adeilad tal am ryw dridiau . . .

. . . ac roedd pawb am wbod a oedd wedi marw.

Ond na, doedd e ddim! Ar y pedwerydd diwrnod, dechreuodd symud yn sydyn eto (gan adael coes ar ei ôl), gan fynd igam-ogam

a hedfan a disgyn a phlymio a fflapio yn ei ffordd ysblennydd anniben ei hun, ac o'r diwedd roedd taith Alun wedi cychwyn.

Nesaf – i Lundain.

Neu falle i gwmwl arall.

Ond wedyn yn *bendant* i Lundain.

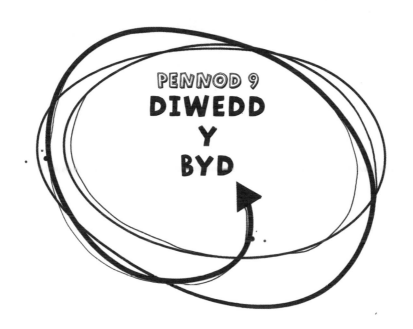

PENNOD 9
DIWEDD
Y
BYD

Dair wythnos yn ddiweddarach, daeth Tŷ'r Cyffredin i'r golwg. Bu'n daith hir, hir, hir a braidd yn wyntog. Ond, ar y cyfan, yn ddigon diffwdan i Alun. Ar wahân i'r tro pan basiodd y gwallgofddyn drwg arall yna ar ei golomen fecanyddol enfawr a cheisio bwyta pry teiliwr mecanyddol enfawr Alun. Yn ffodus, cafodd Alun a'r pry teiliwr eu dal gan gwmwl ar y foment iawn, a tynnwyd sylw'r golomen

enfawr gan gerflun da i wneud ei busnes arno
– felly roedd popeth yn iawn yn y diwedd.

Llywiodd Alun ei bry teiliwr mawreddog gwych tuag at Dŷ'r Cyffredin, a phlymiodd yn osgeiddig tuag at y ddaear. Dringodd i lawr o'r cab ac edrych o'i gwmpas.

'Llundain o'r diwedd!' meddai. 'Yn gynta, mi wna i ddinistrio'r byd! Ac yna, a ddim cyn hynny, mi ga i hufen iâ.'

Trodd Alun i gasglu ei **Wn Mawr Betingalw**, ond stopiodd yn sydyn yn yr unfan. Roedd rhywun arall yn sefyll yn ei ffordd. Sef Wil.

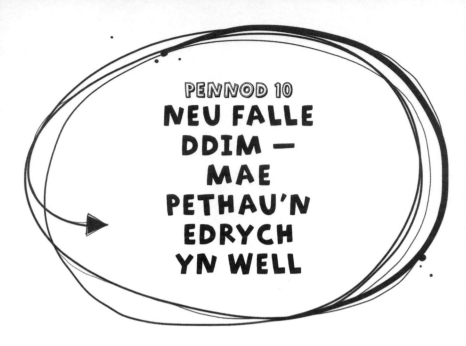

PENNOD 10
NEU FALLE DDIM — MAE PETHAU'N EDRYCH YN WELL

'Sut ar y ddaear ddest ti yma?' gofynnodd Alun wrth Wil.

'Ar y bws,' meddai Wil.

Aeth Alun yn dawel, gan edrych fel pe bai'n meddwl am rywbeth y dylai fod wedi meddwl amdano ymhell cyn hyn.

'Cyrhaeddais i, Dot a Stiwart yma ychydig wythnosau'n ôl. Ry'n ni 'di bod i'r holl amgueddfeydd a Thŵr Llundain *ddwywaith*,' meddai Wil.

Ac roedd hynny, rhaid cyfaddef, braidd yn ansensitif.

'Wel, mae hynny'n swnio'n ddigon braf, ond dwi 'di cyrraedd nawr,' meddai Alun, 'a dwi'n mynd i'ch dileu chi i gyd. Ydw. Tan eich bod chi i gyd wedi marw. Madli dadli marw. Madli dadli mala-banana marw. A beth fyddi di'n ddweud wedyn?'

'Dim lot,' meddai Wil.

'NA.
DIMBL DAMBL
DWMBL DAMBL DIM BYD.'

Roedd Alun mewn hwyliau da wrth feddwl am wneud cymaint o ddrygioni. Mae hynny'n amlwg , gan ei fod yn dyfeisio geiriau ac yn ychwanegu darnau at eiriau sydd eisoes yn bodoli.

'GWYCHIAN GWYCHIEDIG GWYCH GWYCH GWYCH.

Felly ewch i **GANU**, chi **GOLLWYR O LANGOLLI, DREGOLLI, ABERCOLL!**'

Doedd Alun ddim wir yn gwbod pryd i stopio siarad.

'O, fi yw'r gwaethaf, gwaethaf, y

GWIGLI GWOGLI GWAETHAF

yn y byd i gyd yn grwniedig. Ac mae honna'n ffaith-erasiwn-istaidd-iaethol-danol. Asiwn. Eralaeth. Indeg. Iaethol.'

Roedd Alun wedi stopio siarad o'r diwedd.

'A DWDL DŴ.'

O, na, falle ddim.

Yn ffodus i bawb, torrwyd ar ei draws gan goes arall yn syrthio oddi ar y pry teiliwr.

'Iawn, gwell bwrw 'mlaen gyda'r cynllun,' meddai Alun. 'Ble mae fy **Ngwn Mawr Betingalw**?'

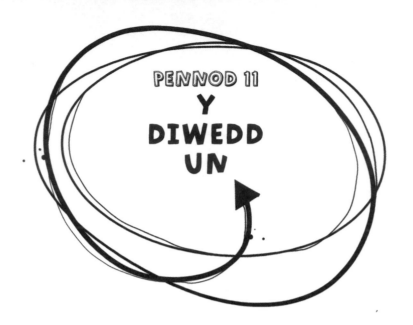

PENNOD 11

Y DIWEDD UN

Wrth i Alun chwilota ym mhen-ôl ei beiriant pry teiliwr am ei **Wn Mawr Betingalw**, ceisiodd rhai pobl feddwl am ffordd o'i stopio rhag dinistrio'r byd.

Ceisiodd rhai pobl eraill gofio a wnaethon nhw adael eu tapiau dŵr yn rhedeg neu feddwl beth i'w gael i swper – ond doedden nhw ddim wir yn talu sylw.

Roedd y rhan fwyaf o bobl yn poeni ac

yn gobeithio y byddai *rhywun* yn gwneud *rhywbeth* cyn ei bod hi'n rhy hwyr.

Ond pwy fyddai'r person hwnnw? Roedd digon o ddewis o bobl addas ar gyfer y gwaith. Yn Llundain ar y foment honno, roedd rhai o'r siwtiau drutaf yn y byd. A thu mewn i'r siwtiau hynny roedd pobl glyfar a phwysig. A thu mewn i siwtiau eraill roedd pobl â chanddyn nhw ddim clem ond oedd yn croesi bysedd na fyddai neb yn sylwi.

Roedden nhw i gyd wedi bod yn ymarfer ysgwyd dwylo, ac yn edrych ymlaen at ginio, gan obeithio cael rhywbeth heblaw sbageti gan fod hwnnw'n gallu bod yn anodd i'w fwyta.

Yn y cyfamser, roedd Alun wedi dod o hyd i'w **Wn Mawr Betingalw**, a'i esgidiau cerdded hefyd (roedd wedi bod yn chwilio amdanyn nhw ym mhobman).

'Reit,' meddai Alun. 'Neb i symud!'

Safodd pawb yn llonydd ar wahân i Kevin Phillips a symudodd ar hyd y ddaear ar ei ben-ôl gan gyfarth yn llawen.

'Dwi'n mynd i ddinistrio'r byd!' meddai Alun yn bwysig.

Ebychodd y bobl i gyd. Wel, ebychodd y mwyafrif. Pesychodd un, gofynnodd un arall, 'Beth wedodd e?' i'w wraig, ac roedd trydydd wrthi'n tagu am iddo lyncu losinen y ffordd anghywir.

'Ie wir,' aeth Alun ymlaen yn ei ffordd ddieflig. 'Mae'n amser cau'r llen ar y byd. Ac nid llen flodeuog neis. Llen FAWR gyda'r geiriau "**Y DIWEDD**" arni.'

Ebychodd y bobl eto. A phesychodd y pesychwr eto. A thrawodd yr un â'r losinen yn sownd yn ei wddw ei frest.

'Felly oes gan unrhyw un rywbeth i'w ddweud cyn i mi ddinistrio'r byd?' gofynnodd Alun.

Meddyliodd pawb. Crafodd pob un â barf ei farf. Teimlai rhai eraill fod ganddyn nhw rywbeth i'w ddweud, ond bydden nhw wedi gwerthfawrogi mwy o rybudd. Roedd deuddeg arall yn siŵr fod rhywbeth perffaith i'w ddweud. Byddai rhywun yn y cefn wedi dweud rhywbeth, ond roedd ganddi lwnc tost. Roedd y gweddill yn rhy swil i siarad yn gyhoeddus.

'Mae rhywun ar y ffôn i chi,' meddai dyn gyda chlustiau bach.

Twt-twtiodd ac ochneidiodd pawb – pe bydden nhw wedi gwbod bod rhywun am ddweud rhywbeth mor wirion â *hynny*, bydden nhw wedi dweud rhywbeth eu hunain.

'Na. Wir. Go iawn.'

Pasiwyd y ffôn i Alun.

'Helô?' meddai Alun. 'Dwi braidd yn brysur – allech chi ffonio 'nôl?' Yn sydyn, daeth gwên fawr i'w wyneb. 'LRCh2FL309 fersiwn8.4marclll!' meddai. 'Sut wyt ti? Ble wyt ti? Dwi 'di bod yn poeni *gymaint*.'

Gwrandawodd Alun. Trodd Kevin Phillips ei ben i un ochr. Arhosodd pawb arall yn ddiamynedd wrth i Alun ddweud,

'IAWN.
MMMM.
NA! WIR?
SUT?
WELA I.
OES.
HMMMM.
IAAAAAAAAAWN
OCÊ. IAWN.
Gad i mi ffeindio papur a phensil.'

Roedd rhywun wedi dwyn pasbort Marc III. A'i waled. A'i ffôn. Neu falle iddo eu gadael ar y trên. Doedd e ddim yn rhy siŵr.

Tra bo Alun yn ysgrifennu cyfeiriad y banc agosaf at Marc III er mwyn iddo allu trosglwyddo arian iddo, rhoddodd Wil Dot i lawr er mwyn mynd at ei fag cefn. Roedd rhaid iddo ddarllen ei daflen. A thynnu llun o'r sefyllfa a chreu cynllun. Oherwydd ei fod yn poeni am ynau mawr a synau mawr a marw. Ond ar y foment honno, daeth coes arall oddi ar y pry teiliwr, gan lanio ar fag cefn Wil.

Teimlai Wil yn sâl. Beth oedd e'n mynd i'w wneud nawr? Doedd dim bag cefn ganddo. Doedd dim taflen ganddo. Doedd dim pen na phapur ganddo. Doedd dim cynllun ganddo. Doedd dim byd ganddo i'w helpu. Yn fwy na dim, doedd dim amser ganddo i gael panig. A doedd dim yn y byd a fyddai'n well ganddo na phanig mawr. Neu guddio am amser maith o dan y cwilt. Ond ni fedrai.

DIM OND WIL.
WIL YN ERBYN ALUN.

Roedd dyfodol y byd yn dibynnu arno. Ac roedd hynny'n cynnwys Dot a Stiwart. Roedd rhaid iddo wneud rhywbeth. Ac roedd *rhaid* iddo wneud y rhywbeth hwnnw

Felly cododd Wil y **Gwn Mawr Betingalw** a rhedeg. Rhedodd fel morgrugyn â'i ben-ôl ar dân. Rhedodd fel ceffyl yn sgio. Rhedodd fel madfall ar wyliau. Rhedodd fel pe bai'n rhedeg

ar ôl y fan hufen iâ olaf yn y byd. Rhedodd a rhedodd a rhedodd a rhedodd.

Edrychodd yn ôl. Roedd Alun yn rhedeg ar ei ôl!

Rhedodd Wil ar draws heolydd a pharciau a graean. *Thwd thwd swish swish crensian crensian.*

Yn y pellter, dilynodd Dot, yn cydio yn Mochyn. *Pad pad pad pad.*

Rhedodd Wil ar draws pyllau a mwd a cherrig. *Sblash sblash sbloj sbloj clonci clonc. (Pad pad pad pad.)*

Rhedodd tan bod ei ddannedd yn clecian a'i glustiau'n canu a'i galon yn brifo. A thrwy'r amser, dilynodd Alun – gan ddod yn nes ac yn nes, yn nes ac yn nes, yn nes ac yn nes, yn nes ac yn nes ac yn nes tan iddo fod bron â chyrraedd Wil ac yn sydyn:

WADWMFF!

Cydiodd Alun yn Wil, a chwympodd Wil – a dechreuodd y **Gwn Mawr Betingalw** *droi a throi a throi a throi . . .*

A glanio ar Bont Llundain.

Neidiodd Alun tuag ato, ond tynnodd Wil e 'nôl.

Neidiodd Wil tuag ato, ond tynnodd Alun e 'nôl.

Cripiodd cripiodd cripiodd Wil, ond *llusgodd llusgodd llusgodd* Alun e'n ôl.

Ceisiodd Wil dorri'n rhydd, ond daliodd Alun e 'nôl.

Yna, dechreuodd y bont agor yn araf gyda **JYDI JYDI AWWWWWW WWW WWWWRC**.

Rholiodd ac ymladdodd a reslodd a brwydrodd a sgarmesodd a stryffaglodd Wil ac Alun. A chropaniodd Dot heibio, lan rhiw serth, *pad pad pad pad*.

Trawodd a chiciodd a chnoiodd a thynnodd a gwthiodd a chwffiodd Wil ac Alun, a phan oedd Alun bron â'i drechu – llwyddodd Wil i ddianc o'i afael! Llithrodd yn rhydd a rhuthrodd lan rhiw serth y bont oedd yn dal i agor, ac a oedd yn mynd yn fwy a mwy serth bob eiliad.

Taflodd Alun ei hun at Wil, a rholiodd y ddau yn ôl i lawr ochr y bont serth.

Tra'u bod yn brwydro ac yn rholio – rholiodd rhywbeth arall. Stiwart y pry lludw! Rholiodd allan o boced Wil, dringodd ar Alun, a'i gnoi. (Ydw, dwi'n gwbod nad yw pryfed lludw yn cnoi, ond mae hynny oherwydd nad oedd rhaid iddyn nhw cyn hyn.) Roedd rhaid i

Stiwart wneud nawr felly brathodd ben-glin Alun yn galed.

'Awwwwwwwwww!' sgrechiodd Alun. Cydiodd yn ei ben-glin, gan ryddhau Wil. Ar unwaith, neidiodd Wil at ben y bont a'r **Gwn Mawr Betingalw** mewn pryd i weld Dot yn gosod Mochyn y tu mewn iddo. Roedd yn ffitio'n berffaith. Llithrodd Mochyn i lawr y gwn nes ei fod yn sownd yn ei waelod.

Gafaelodd Wil yn y **Gwn Mawr Betingalw**, ond yna cydiodd Alun yn ei goes a daliodd yn dynn. Doedd e ddim yn mynd i symud. Ac roedd hynny'n golygu nad oedd Wil yn mynd i symud.

Estynnodd Alun am y botwm

gan weiddi . . .

'MAE DIWEDD
Y BYD
WEDI DOD!'

Ond roedd Alun wedi anghofio bod Wil yn hollol wych am hercian.

Gwyliodd Wil ochr arall y bont yn mynd yn bellach ac yn bellach i ffwrdd. Defnyddiodd ei holl nerth, gan wneud yr herc *fwyaf* a *gorau* yn ei fywyd.

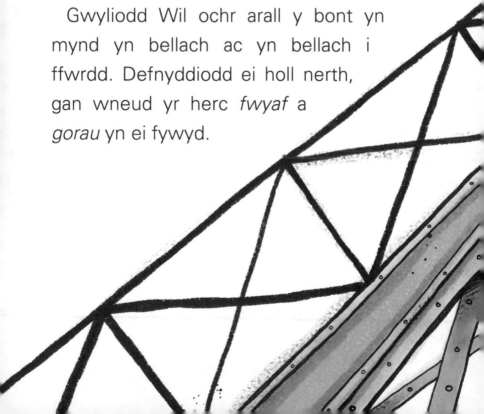

Wrth iddo wneud, llithrodd Alun i lawr coes Wil, gan ddisgyn *i lawr i lawr i lawr* i afon Tafwys oddi tanyn nhw gyda *PHLOP* mawr (gan fynd ag esgid Wil gyda fe).

Glaniodd Wil ar ochr arall y bont. Anelodd y **Gwn Mawr Betingalw** bant o'r ddaear, a gwasgodd y botwm

YMLAEN.

Saethodd Mochyn i'r awyr ar gyflymder

CABILIWN

o filltiroedd yr awr.

Pan laniodd eto (sawl diwrnod yn ddiwedd-arach) roedd ychydig yn fwy llwyd ac ychydig yn fwy sgleiniog ac roedd un glust yn llai ganddo.

Daeth rhywfaint o fwg o ben y gwn.

Dwn i ddim a yw gwn yn gallu pesychu, ond pesychodd y gwn. Ac yna llyncodd a rhinciodd a chraciodd a gwnaeth sŵn *sbroing*. Ac yna gwelwyd y geiriau

'NAM'

a

'GWRTHRYCH ANNISGWYL'

ac

'YCH, CLUST MOCHYN'

a

'DWI 'DI TORRI A SDIM PWYNT CEISIO FY NHRWSIO'

ar y sgrin.

Taflodd Wil y gwn ar y llawr a neidiodd arno sawl gwaith er mwyn sicrhau ei fod wedi torri go iawn. Torrodd Dot y glicied danio, ei gnoi, a'i daflu dros ei hysgwydd.

'Hwrê!' gwaeddodd pob person yn y byd (ar wahân i un).

'Bŵ!' (*sblash*) gwaeddodd un person. (Fedri di ddyfalu pwy?)

Yna neidiodd pawb yn y byd lan a lawr yn llawen gan gofleidio ei gilydd a dawnsio'n herciog hapus. Ar wahân i un person a stompiodd yn wlyb tuag at ei beiriant pry teiliwr, dringo i mewn iddo,

gwasgu **YMLAEN**

a gadael, gan fynd igam-ogam a hedfan a disgyn a phlymio a fflapio'n drist tuag adref (ar ôl mynd yn sownd mewn cwmwl am rai diwrnodau).

Ac yna cafodd y byd i gyd bicnic enfawr, ac

aethon nhw adref i wylio'r frenhines yn cosi eliffant ar y teledu. Doedd hi erioed wedi gwneud o'r blaen, ond roedd hi'n hoffi'r syniad.

Aeth Wil a Dot a Stiwart adref, yn flinedig ac yn frwnt ond yn hapus.

I ddathlu, cawson nhw frechdan menyn cnau a rhannu sudd o gwpan arbennig Wil oedd yn dweud 'Wil' . . .

Oherwydd, yn sydyn, doedd Wil ddim yn poeni gymaint am bethau.

Y DIWEDD!
(DIWEDD Y STORI,
NID Y BYD)

BETH
DIGWYDDODD
NESAF

1. Mae Alun bellach yn hyfforddi pobl sut i fyw heb boeni.
2. Mae Marc III yn athro Cymraeg ail iaith.
3. Mae gan fam Wil fin sbwriel newydd (mawr).
4. Mae'r siarcod mawr gwyn wedi symud cartref o'r tanc siarcod i'r môr.
5. Mae'r dyn a dagodd ar ei losinen wedi gwella'n llwyr.
6. Mae gan Kevin Phillips degan newydd sy'n gwneud sŵn gwichian wrth ei gnoi.
7. Mae gan Mochyn glust newydd.
8. Mae gan Stiwart fedal bitw bach.
9. Mae Wil yn dal i fyw yn yr un tŷ ac yn dal i fynd i'r un ysgol â thi.

BETH SY'N DIGWYDD NESA...

A fydd Alan yn rhoi'r
gorau i'w fywyd dieflig?

A fydd angen i Wil
achub y byd unwaith eto?

DARGANFYDDWCH YR ATEBION YN

Wil Y POENWR PENIGAMP ⬅ - - -

yn Brwydro'r Môr-leidr